LE VISAGE D'UNE AUTRE

Avis aux lecteurs

Vous êtes nombreux à nous écrire
et nous vous en remercions.
Pour être sûrs que votre courrier arrive,
adressez votre correspondance à :

**Bayard Éditions Jeunesse
Collection Cœur Grenadine
3 / 5, rue Bayard
75008 Paris.
coeur.grenadine@bayard-presse.com**

Cœur Grenadine

LE VISAGE D'UNE AUTRE

LAURENCE MADO

BAYARD JEUNESSE

BIOGRAPHIE

Laurence Mado a quatre enfants de un à seize ans. Entre deux biberons, elle a été reporter, journaliste radio aux Antilles et rédactrice en chef d'un site internet. Depuis quelques années, elle écrit des livres d'amour pour les grandes et les plus petites. Passionnée de théâtre, elle aime s'inspirer des belles histoires d'autrefois pour raconter des romances qui feront rêver les filles d'aujourd'hui.

Cœur Grenadine est une marque déposée,
reproduite avec l'aimable autorisation d'Alain Souchon et de Laurent Voulzy

© Couverture Bayard Éditions Jeunesse
Tous droits réservés. Reproduction même partielle interdite.
© 2005, Bayard Éditions Jeunesse

Loi n° 49-956 du 16 juillet 1949
sur les publications destinées à la jeunesse
Dépôt légal janvier 2005

ISBN : 2 747 014 92 4

Chapitre 1

— Vous savez, m'a dit l'opticien avec un affreux sourire de grenouille, c'est très à la mode, maintenant, les lunettes rondes. Depuis qu'un certain petit sorcier anglais…

Il m'a fait un clin d'œil qui a accentué son côté batracien, avant d'ajouter :

— Vous voyez qui je veux dire ? Eh bien, depuis Harry, j'en vends des kilos !

Non, mais quel idiot ! Heureusement pour lui, je ne suis pas une sorcière, sinon je l'aurais volontiers transformé en crapaud.

Primo, je n'ai aucune envie de ressembler à un gnome british et binoclard, fût-il le champion du monde de la course en balai volant ; deuxio, je déteste l'idée d'avoir des lunettes vendues au kilo ; et, tertio, je voulais des lentilles. « Trop tôt », avait décrété l'ophtalmo…

Résultat : rien que pour contrarier ma mère et l'opticien, j'ai choisi des lunettes carrées, avec une grosse monture bleue en plastique, un truc lourd qui pèse sur mon nez et me laisse une marque rouge entre les yeux.

— Personne ne la verra, ta marque, m'a assuré mon père le lendemain matin, puisque tu ne dois plus quitter tes lunettes, sauf pour dormir….

Je suppose qu'il a dit ça pour me consoler ; n'empêche, j'ai continué à bouder pendant tout le trajet jusqu'au collège. Quand il s'est garé devant la grille, j'ai ouvert la portière sans dire un mot.

— Bonne journée, ma poupoute…

Je lui ai lancé un regard noir. Il sait très bien que je déteste qu'il m'appelle comme ça.

— Je ne suis pas ta poupoute !

— Allez, fais pas la tête ! a enchaîné mon père avec son bon gros sourire de papa ours.

Tu es née dans une famille de myopes, ce n'est pas de chance, mais tu es quand même une ravissante poupoute...

Je lui ai fait une grimace avant de répliquer :

– À partir de demain, je prendrai le bus pour aller au collège le matin. Salut.

J'ai claqué la portière aussi fort que j'ai pu et je me suis bravement jetée dans la foule qui piétinait devant la grille. J'ai immédiatement repéré Rosanna, la plus grande, la plus belle, la plus flamboyante de toutes les filles de 3e. Et, accessoirement, ma meilleure amie. Elle portait un blouson en daim rouge que je n'avais jamais vu et elle s'était fait faire des tresses africaines avec des petites perles de toutes les couleurs.

– Génial ! ai-je dit, sincèrement convaincue.

– Attends ! Tu n'as pas tout vu...

Elle a tourné la tête de droite à gauche pour faire voler ses tresses. Les perles s'entrechoquaient avec un petit bruit mélodieux et virevoltaient comme des papillons. J'ai fait une moue admirative :

– Et ton blouson, c'est nouveau ?

– C'est ma mère qui me l'a prêté.

Alors là, franchement, je n'ai pas pu m'empêcher d'être jalouse. Parce que, même si un jour je cesse de ressembler à une planche à repasser et qu'il me pousse des seins et des fesses, je préférerais mourir plutôt que d'enfiler les fringues de ma mère. Laquelle est aussi coquette que la prof d'allemand, c'est dire…

Tandis que la mère de Rosanna, non seulement elle achète des vêtements jolis, des trucs branchés, mignons, rigolos, mais en plus elle les prête.

Rosanna a effleuré du doigt mes nouvelles lunettes et a dit qu'elles étaient vraiment originales. J'ai froncé le nez. Pas besoin d'en faire des tonnes, avec Rosanna : elle connaît par cœur mon complexe numéro un.

– La couleur est jolie…Tu as l'air…

Elle cherchait ses mots, s'emberlificotait pour ne pas avouer que j'avais l'air totalement cloche.

– L'air de quoi ?

– Pas la peine d'aboyer, Magali ! L'air un peu plus vieille, c'est tout. On te donnerait seize ans… voire seize et demi…

Je l'ai dévisagée un moment, pour être sûre qu'elle ne se moquait pas de moi. Elle m'a fait une chatouille dans le cou, j'ai riposté en lui pinçant la cuisse, elle a fait semblant de mordre…

À ce moment, la grille s'est ouverte et on

s'est laissé entraîner par la vague des élèves qui jouaient des coudes pour entrer. On aurait dit une armée de gladiateurs se précipitant dans l'arène. À croire qu'ils étaient pressés de retourner à l'abattoir…

***

***

« Boucherie » serait le mot exact pour définir cette matinée de lundi. D'abord, les mauvaises notes, qui ont commencé à pleuvoir dès la première heure de cours. Ensuite, un contrôle de maths sur un théorème au nom bizarre dont j'ignorais jusqu'à l'existence. Et, pour finir, deux heures de colle, récoltées en musique pour « insolence ». J'avais fait hurler de rire toute la classe en lisant « Bitoven » dans un texte qui parlait d'un célèbre compositeur allemand et sourd. Alors que je ne l'avais même pas fait exprès : j'avais juste attrapé le rhume, la veille, en faisant tous les opticiens de la ville sous la pluie. C'était la faute de ces fichues lunettes.

À vrai dire, ce qui a vraiment dissipé le peu de bonne humeur qui me restait, c'est la disparition de Rosanna à la récréation. Juste avant qu'on se sépare pour le premier cours, elle m'avait murmuré : « J'ai un truc super important à te dire. J'ai rencontré quelqu'un… » Elle a mis un doigt sur sa bouche, puis elle a lancé : « À plus tard, à la récré… »

Et à dix heures, pas de Rosanna. Je grillais d'impatience de l'entendre me raconter sa « rencontre ».

J'ai erré dans tout le collège Rostand, des toilettes jusqu'au réfectoire, et j'ai fini par la trouver du côté du gymnase au moment où la cloche sonnait. Elle était juchée sur une poubelle, en équilibre instable contre le mur d'enceinte.

— Où étais-tu passée ? a-t-elle fait du haut de son perchoir.

Abasourdie, j'ai répliqué :

— C'est plutôt à moi de te le demander ! Qu'est-ce que tu fabriques ?

Elle a sauté d'un bond léger avant de répondre, l'air extasié :

— Je l'ai vu…

— Qui ?

— Lui. Le garçon de mes rêves.

J'ai bêtement levé le nez vers le mur où elle était accrochée quelques minutes plus tôt, pour voir s'il ne traînait pas dans l'air une image de l'apparition qui l'avait mise dans cet état.

Elle m'a pris le bras, m'a entraînée vers les salles de classe. Un sourire béat flottait sur ses lèvres :

– Diego Vasco. Tu vois qui c'est ?

– Euh… un joueur de foot ?

Elle a levé les yeux au ciel :

– Mais non, il est en première.

Du coup, j'ai compris. De l'autre côté du mur, il y avait la cour du lycée Edmond-Rostand. Notre groupe scolaire occupe un immense pâté de rues. C'est « un établissement pilote orienté vers les nouvelles technologies de l'information » ; ce qui veut dire que chaque élève, du CE2 à la terminale, dispose d'un ordinateur personnel et d'une formation informatique et internet. Un bahut moderne et branché, en quelque sorte. Pourtant, de la maternelle au lycée, on a pris soin de laisser les hauts murs en pierre telles des frontières infranchissables entre les différentes sections, comme si les élèves ne devaient jamais se rencontrer.

Rosanna poursuivait à voix basse ; à croire que la cour de récré était un nid d'espions :

– Je l'ai croisé hier, à la boulangerie. En fait, je ne l'avais jamais vu… On a bavardé au moins cinq minutes.

Souvent, le dimanche après-midi, Rosanna

aide sa mère, qui tient une boulangerie en centre-ville. Le fameux Diego, « qui a des yeux aussi beaux que Johnny Depp », était venu déposer une petite annonce pour proposer du baby-sitting. Du coup, Rosanna avait engagé la conversation, et ils avaient parlé jusqu'à ce que le client suivant réclame sa baguette pas trop cuite.

— Et depuis, ajouta-t-elle dans un soupir, je n'ai pas arrêté de penser à lui. Il est super craquant, il a un de ces sourires…

Quand on s'est quittées devant la salle où elle avait cours, je n'avais pas pu caser un mot. J'ai traîné les pieds jusqu'à la salle de SVT, où m'attendait la dernière épreuve de la matinée : la dissection d'une grenouille. J'ai bien essayé de me donner du courage en me disant que c'était l'opticien que je tenais sous mon scalpel, mais ça ne m'a pas réconfortée.

***

Rosanna a remis ça à la cantine. J'ai eu droit à une description détaillée de son Diego. Elle a même sorti un feutre pour me dessiner son portrait robot sur une serviette. Malheureusement, même les serviettes en papier sont de mauvaise qualité à la cantine, et le feutre bavait lamentablement. « Le garçon de ses rêves » ressemblait à un criminel échappé du pénitencier, alors qu'en réalité « il a un visage très fin, des yeux très noirs et en même temps très doux, et une minuscule fossette sur le menton »…

Elle parlait tant que j'en perdais l'appétit ; par chance, il y avait du chou-fleur au menu, et je déteste ça.

— Le plus incroyable, a soudain murmuré Rosanna, c'est qu'il est reparti sans laisser son annonce. Et ça, c'est à la fois merveilleux et horrible !

— Explique-toi !

Elle commençait à me fatiguer avec ses phrases sans queue ni tête.

— C'est horrible, parce que du coup je n'ai pas son numéro de téléphone. Et c'est merveilleux, parce que, s'il a oublié, ça veut dire qu'il était troublé… Tu comprends ?

Non, je ne comprenais pas. J'oublie toujours des tas de choses, comme mon livre de maths ou mes rendez-vous chez l'ophtalmo, et ce n'est pas parce que je suis troublée.

— Magali, franchement, tu n'es jamais tombée amoureuse ?

J'ai haussé les épaules. C'était une question

gratuite et stupide : Rosanna connaît toute ma vie aussi bien que moi.

— À part de ma maîtresse de maternelle qui ressemblait à la fée Clochette, non.

Elle a secoué la tête comme si je venais de lui annoncer que j'avais décidé d'entrer au couvent. J'ai ajouté avec un sourire :

— Et puis, vu que tu me racontes toutes tes histoires, je n'ai pas besoin de me fatiguer…

— Attends ! a fait soudain Rosanna en se frappant le front d'une main. Diego est en première 7, c'est la classe de Baptiste, non ?

J'ai acquiescé, et le regard de Rosanna s'est rempli d'adoration :

— Oh, ma Gali chérie !

— Quoi ?

Elle a croisé les mains d'un air suppliant :

— Tu te rends compte ? Il est dans la classe de ton frère !

— Et alors ?

Baptiste et moi, on se supporte tant qu'on s'ignore.

— Je t'en prie, Magali, fais ça pour moi : pose des questions à ton frère.

— Mais sur quoi ?

— Sur lui ! Sur Diego. J'ai besoin d'en savoir plus !

J'ai secoué la tête et j'ai fermement tranché un bout de chou-fleur qui refroidissait dans mon assiette.

– Nada, niet, ma vieille. C'est mission impossible, ce que tu me demandes. Au cas où tu l'aurais oublié, je ne parle plus à mon frère depuis trois jours.

Sous prétexte que je lui avais emprunté trois CD sans le prévenir, Baptiste avait transformé mon baladeur en pièces détachées. J'avais décidé de ne jamais pardonner.

– En plus, tu me vois lui dire : « Ma copine s'intéresse à un de tes copains. Est-ce que tu pourrais me renseigner ? » Il va se tordre de rire jusqu'aux vacances de Pâques ! Non, merci, je ne lui ferai pas ce plaisir.

– Tu n'es pas non plus obligée de sortir l'artillerie, a rétorqué mon amie. Tu peux poser des questions en finesse, comme tu sais faire…

Pendant toute l'heure du déjeuner, Rosanna n'a pas arrêté de me harceler. Elle m'a poursuivie dans les couloirs en me répétant que j'étais sa seule chance pour arriver jusqu'à Diego Vasco. Devant la salle de documentation, j'ai fini par me rendre. J'ai promis de poser des questions « en finesse ».

Accessoirement, j'ai aussi promis d'aller faire un tour dans la chambre de mon frère, en cachette, pour recopier son emploi du temps. Et c'est comme ça que les ennuis ont commencé.

Chapitre 2

— C'est tout ? m'a fait Rosanna le lendemain matin. Tu n'as rien appris d'autre ?

Ça m'a vexée de la voir réagir comme ça. D'accord, mes renseignements pouvaient sembler maigrichons, mais c'était quand même un scoop : Diego n'avait pas de petite amie au lycée. Une information primordiale, non ?

J'étais plutôt fière de moi, surtout que je l'avais jouée « tout en finesse » avec mon frère. Pour être franche, j'ai juste accepté de mettre le couvert à sa place, pour qu'il puisse finir sa dissert' de français avant le dîner. Mais ça avait suffi pour le rendre de bonne humeur.

— Comment tu as fait pour savoir ? a poursuivi Rosanna.

— J'y suis allée franco. Je lui ai dit qu'une fille de ma classe prétendait sortir avec Diego Vasco.

— Carrément ! Tu n'as pas prononcé mon nom, j'espère…

J'ai haussé les épaules. Parfois, je me demande si Rosanna a une haute idée de mon intelligence naturelle et de l'amitié que je lui porte.

— Alors, Baptiste a rigolé : « Ça m'étonnerait ! Il s'en fout, des filles. Elles lui tournent toutes autour, et il n'en regarde jamais une… »

— Ah bon ?

Du coup, Rosanna a retrouvé le sourire. Elle a poursuivi d'un air radieux :

— En tout cas, moi, il m'a regardée, je peux te le dire…

Ça, je l'avais déjà deviné. Tous les garçons regardent Rosanna. Elle a une façon de bouger, de s'habiller qui attire le regard. Elle n'y peut rien ; en sixième, elle était déjà comme ça. Elle est toujours la plus mignonne, la plus coquette.

C'est sans doute pour ça qu'elle n'a pas d'autre amie que moi : les filles sont jalouses d'elle. Moi, ça ne me dérange pas qu'elle soit si belle. Au contraire, je suis fière d'elle.

Elle s'est mise à tripoter pensivement ses tresses :

— Bon, tout ça ne nous dit pas comment je vais faire pour le revoir... Est-ce que tu as son emploi du temps, au moins ?

J'ai secoué la tête :

— Désolée, je n'ai pas pu. Baptiste n'a pas quitté sa chambre hier soir. Aujourd'hui, ça devrait être possible, il a rendez-vous chez le dentiste...

Une lueur d'espoir a traversé les yeux de mon amie :

— À quelle heure, ce rendez-vous ?

— Attends, attends... Hier, j'ai entendu ma mère lui rappeler que c'était à dix-sept heures quinze.

— Donc, il sort à dix-sept heures ! Waou !

Rosanna s'est mise à danser comme un Sioux après dix-huit calumets de la paix :

— Gé-nial ! Je sors à seize heures, et toi aussi ! On va se poster à la sortie du lycée.

J'ai commencé par protester énergiquement. C'était le meilleur moyen de se faire repérer (puis assassiner) par mon frère qui est l'être le plus impitoyable que la Terre ait porté, c'était une idée stupide, dangereuse qui pouvait briser à jamais leur histoire naissante.

Mais Rosanna avait un plan : il nous suffisait d'arriver un peu à l'avance et d'aller dans la librairie en face du lycée. Depuis l'intérieur, on n'aurait plus qu'à surveiller la grille à travers la vitrine et sortir comme si de rien n'était au moment où il apparaîtrait.

Le plan vasouillard du siècle, selon moi ; mais cela ne me déplaisait pas d'aller faire un tour à la librairie. J'y vais souvent.

En arrivant, j'ai foncé droit vers le fond, au rayon science-fiction, que je connais presque par cœur. La libraire m'a lancé un bonjour amical. Si tous ses clients sont comme moi, elle ne doit pas être riche : je passe des heures chez elle, et je lui achète un bouquin par mois. Mais ça ne l'empêche pas de me faire de grands sourires.

Rosanna ne me quittait pas d'une semelle et, pendant que je farfouillais dans les rayons, elle imaginait à haute voix les scénarios les plus romantiques du monde : elle fonçait sur Diego en pleine rue, elle faisait semblant de s'évanouir devant lui, ou alors elle s'arrangeait pour lui envoyer « sans faire exprès » son cartable dans la figure et l'accompagner à l'hôpital.

– Pourquoi tu ne lui dirais pas simplement «bonjour» ? ai-je demandé.

– C'est trop ordinaire ! a répliqué Rosanna d'un air dédaigneux. Lui et moi, je suis sûre que c'est une histoire extra-or-di-nai-re.

Vers moins cinq, elle a obliqué en direction de la vitrine, au rayon « gastronomie-jardinage », et elle s'est postée là, avec un gros livre de recettes entre les mains. C'était franchement comique de la voir se tordre le cou pour guetter la sortie du lycée par-dessus les livres accrochés en devanture.

– Le voilà !

Elle a crié si fort que la libraire a sursauté et, moi, j'ai lâché le livre que je feuilletais. Rosanna, imperturbable, est sortie comme une bombe de la librairie. Elle a traversé la rue en courant et elle s'est plantée devant un garçon à côté du parking des deux-roues.

Je me suis approchée à mon tour de la vitrine pour voir le fameux Diego… et voilà que mon cœur s'est mis à marteler si fort que je le sentais cogner contre mes côtes.

D'abord, je me suis dit que c'était à cause du comportement de Rosanna. À chaque fois qu'elle tombe amoureuse, c'est la même chose. On dirait qu'elle passe dans une autre dimension où le reste du monde a disparu. Alors, parfois, j'ai l'impression que moi aussi, je n'existe plus, et ma gorge se serre…

Mais, cette fois-ci, c'était différent. Mon cœur s'était mis à battre quand j'avais vu Diego. Je le regardais pendant qu'il discutait avec mon amie et, comme il ne me voyait pas, je pouvais tranquillement le dévorer des yeux. Il était brun, très grand : des yeux noirs magnifiques, de grands yeux avec des cils immenses, et des mains qui n'arrêtaient pas de bouger quand il parlait. Il avait un air grave, presque trop sérieux, et on avait l'impression qu'il était pressé de partir. D'ailleurs, il a tapoté sa montre et a écarté les mains en signe d'excuse.

Puis, très gentiment, il s'est penché vers Rosanna et lui a fait deux bises avant de s'éloigner vers le parking. Sa démarche était étonnante, très souple et en même temps pleine d'énergie. Il a défait l'antivol d'un des scooters, a enfilé un casque noir et a démarré. Je l'ai suivi des yeux jusqu'à ce qu'il disparaisse au carrefour.

À ce moment-là, j'ai remarqué que Rosanna

me faisait de grands gestes, et je suis revenue sur terre, pas très sûre d'avoir compris ce qui venait de se passer. En sortant, j'ai croisé le regard hilare de la libraire, et j'ai bafouillé : « Merci, au revoir. » Pas besoin d'un dessin pour comprendre qu'elle n'en avait pas loupé une miette.

Rosanna trépignait sur le trottoir. Ses joues mates semblaient cuivrées, ses tresses vibraient autour d'elle comme des antennes électriques.

– Alors ? Comment tu le trouves ?

J'ai essayé d'avaler ma salive, mais ma bouche était sèche. J'ai péniblement approuvé de la tête :

– Pas mal… Même bien, mais un peu grand, non ?

Mon amie a poussé un soupir en se jetant dans mes bras :

– Je suis contente qu'il te plaise ! D'habitude, tu leur trouves toujours un air crétin, les joues trop rondes, les mains trop petites ou… les oreilles trop velues !

Elle a éclaté de rire, pendant que j'esquissais un pauvre sourire. Elle faisait allusion à Steve, le dernier dont elle était tombée amoureuse. Elle avait rompu au bout de trois jours, parce que je lui avais fait remarqer qu'il avait les oreilles velues comme un Hobbit. Elle prétendait que depuis que je le lui avais dit, elle ne voyait plus rien d'autre….

— Diego a été super, génial, archicontent de me voir !

J'ai bien eu envie de rétorquer qu'elle exagérait, que j'avais suivi toute la scène, mais elle ne m'en a pas laissé le temps. Elle continuait à déblatérer sur la couleur de ses yeux, la forme de son visage. Plus elle parlait, plus j'avais le sentiment de m'enfoncer dans du coton.

— Et de quoi avez-vous parlé ?

— De pas grand-chose. Je lui ai juste dit que ça me ferait plaisir de le revoir, et je lui ai demandé s'il n'avait pas envie de me donner des cours de maths.

— Des cours de maths ? Tu as de la fièvre ou quoi ?

Rosanna et moi, on a depuis longtemps abandonné l'idée d'avoir un jour la moyenne en maths.

— La première fois qu'on s'est vus, a-t-elle poursuivi, il m'avait dit qu'il aimait bien ça et qu'il était plutôt bon.

— Et alors, tu vas te payer tes cours particuliers ?

Elle a esquissé une grimace piteuse :

– Non. Il m'a dit qu'il n'aurait pas le temps. Le baby-sitting, c'est faisable, parce qu'il peut travailler quand les enfants dorment…

– Dommage que tu n'aies plus trois ans, ai-je observé.

Mais elle ne m'écoutait pas. Elle se mordillait les ongles, plongée dans une intense réflexion. Elle a fini par lâcher avec un soupir :

– La prochaine fois, je lui demande son numéro de portable en lui expliquant que… je ne sais pas, moi ! On trouvera quelque chose…

– « On » ? Qu'est-ce que tu entends par là ?

– Tu vas m'aider, non ?

Il fallait que j'abrège, sinon j'allais me mettre à crier.

– Écoute, j'ai un gros contrôle de maths demain. J'y comprends rien, et j'ai intérêt à bosser si…

– D'accord, d'accord, a chantonné mon amie. Va réviser pendant que je vais rêver. À demain !

Elle m'a laissée à l'abribus et s'est éloignée en balançant son sac à bout de bras. Je me suis effondrée sur le banc, soulagée d'être enfin seule. J'étais vidée, pire encore qu'après les compétitions de judo qui ont terrorisé mon enfance. Et, tout à coup, le remords m'a saisie. Je venais de mentir à ma meilleure amie : je n'avais pas de contrôle de maths le lendemain.

———

Chapitre 3

Un coup de foudre… J'ai compris que ce qui m'arrivait s'appelait comme ça, plusieurs heures plus tard, dans la solitude de ma chambre. Les lumières éteintes, la musique sur les oreilles, la tête sur l'oreiller, j'étais enfin dans ma bulle. Tout ma famille était prévenue : je n'existais plus jusqu'au lendemain.

Je n'avais pas décroché un mot de tout le repas. Mon père m'avait demandé quinze fois si je me sentais mal. Une fois mon yaourt englouti, j'avais dit : « Bonne nuit tout le monde », grimpé quatre à quatre les marches et fermé la porte de ma chambre.

Il fallait absolument que je réfléchisse. Que je réfléchisse, et que je fasse le tri dans le torrent d'émotions que j'étais en train de vivre. Ce que je devinais me causait une peur bleue. Je revoyais le visage et les mains de Diego, qui n'arrêtaient pas de valser devant la librairie ; je revoyais Rosanna et ses grands yeux verts rêveurs quand elle prononçait son nom : « Diego Vasco »…

Un chose, au moins, était sûre : ce n'était même pas la peine de tomber amoureuse de Diego. D'abord, parce que l'amitié est une chose sacrée et qu'une fille qui pique l'amoureux de sa copine mérite de rester célibataire jusqu'à son dernier jour. Ensuite, parce que je ne m'imaginais pas comment Diego pourrait s'intéresser à moi, alors que Rosanna l'avait choisi.

« Et alors ? a fait une petite voix que je ne connaissais pas. Même si Rosanna… Même si… Pourquoi pas toi ? »

Je me suis levée, j'ai allumé la lampe à côté du lit et je suis allée jusqu'au miroir en face de mon bureau. Ce que j'y ai vu m'a plongée dans le désespoir.

Même sans mes lunettes, je restais d'une banalité à pleurer. Ni belle ni moche. Une fille comme les autres, aussi épicée qu'une purée-jambon, aussi sexy qu'un cosmonaute en tenue de sortie…

J'ai relevé mes cheveux en chignon, j'ai mordillé légèrement l'intérieur de mes joues pour affiner mon visage. De profil, ce n'était pas si mal, mais de face… Mon visage était toujours trop rond, mes cheveux trop raides, mes yeux trop grands…

J'ai laissé tomber ma tignasse et mes grimaces. Avec ou sans, je restais une myope au corps sans forme et aux complexes carabinés. Je ne pouvais pas lutter contre Rosanna. Et, d'ailleurs, je n'avais aucune envie de le faire. Aucune envie de briser une amitié pour une histoire de garçon.

Les bruits de la télé montaient du salon. Papa et Baptiste regardaient un match de foot, et je me suis rappelé la promesse que j'avais faite à Rosanna : l'emploi du temps !

Je me suis glissée dans le couloir sur la pointe des pieds et, bravant le panneau noir et rouge qui précise : « L'entrée est strictement interdite sous peine de poursuites », je suis entrée dans la chambre de mon frère.

Cela faisait quelques semaines que je n'étais pas venue là, et j'ai eu un choc en allumant la lumière. La chambre de Baptiste ressemblait à une ville bombardée. Il y avait des habits en vrac dans tous les coins, des CD qui traînaient par terre, des classeurs ouverts, des feuilles chiffonnées. La poubelle débordait. Son bureau croulait sous les pots de peinture et les bouts de contreplaqué qu'il utilise pour faire ses maquettes. J'ai enjambé un skateboard et un pouf défoncé pour atteindre son sac d'école. Sur le rebord de la bibliothèque étaient entassés des journaux. Mon regard s'est attardé dessus : c'était *Cyrano*, l'hebdomadaire du lycée Rostand.

Sur la première page, une signature m'a fait sursauter : Diego Vasco. J'ai commencé à feuilleter l'exemplaire. Ce n'était qu'une feuille de chou d'une quinzaine de pages, mais le nom de Diego crevait le papier. Toutes les deux pages, il était là. Pareil sur les autres numéros : il faisait la moitié du journal à lui tout seul. Et il écrivait sur tout : il y avait des critiques de disques, des propositions pour la vie lycéenne, des commentaires sur les élections de délégués, sur la Journée contre le racisme, sur des livres qu'il aimait bien. Un graphomane, comme moi...

Je me suis penchée pour attraper un exemplaire de *Cyrano* tombé par terre, mais mon pied a dérapé sur le ballon. J'ai perdu l'équilibre, et je me suis étalée sur le skate en entraînant dans ma chute une lampe de chevet. Un bruit de tremblement de terre a retenti dans la chambre.

Tétanisée, j'ai entendu Baptiste qui montait les escaliers quatre à quatre. Aucune issue, j'étais prise au piège. Les yeux fermés, je me suis mise à réfléchir à toute vitesse.

– Qu'est-ce que tu fiches ? a hurlé mon frère.

– J'avais besoin d'une agrafeuse, et j'ai pensé que...

– Tu n'entres pas ici sans ma permission ! Je te l'ai déjà dit vingt mille fois. Tu es sourde ou quoi ?

Mon frère semblait au bord de l'apoplexie. Il avait les yeux qui lui sortaient de la tête. Heureusement, papa a poussé un hurlement triomphal dans le salon :

– Baptiste ! On a marqué !

Mon frère m'a montré la porte d'un air menaçant :

– Dégage, vipère ! Et la prochaine fois, je te jure que je te scalpe.

J'ai obéi, courbée en deux, les bras serrés autour du ventre, et je me suis traînée hors de la chambre sous l'œil soupçonneux de mon frère. En passant devant lui, je me suis ratatinée davantage et j'ai lancé d'une petite voix :

– Je me suis fait mal en trébuchant sur ton skate. C'est pas possible de vivre dans un taudis pareil…

J'ai esquivé de justesse une main vengeresse.

– Baptiste ! Le ralenti ! hurlait papa depuis son fauteuil.

– J'arrive ! a répondu mon frère avant de me décocher son fameux coup de pied « iroquois » qui casse le genou pour un quart d'heure.

Il a dévalé l'escalier, et je suis retournée dans ma chambre en frottant ma rotule endolorie. Une fois la porte fermée, je me suis redressée en lançant un grand « yahou ! » silencieux. Sous mon pull, j'avais toute la série des *Cyrano*…

***

– Ce type est un intello…

J'ai sorti la pile de *Cyrano* de mon cartable et je l'ai posée sur les genoux de Rosanna. Elle a froncé les sourcils en me lançant un regard inquiet :

– Comment tu sais ça ?

– Parce qu'il écrit super bien ! Qu'il connaît plein de choses, et pas que des trucs qu'on apprend à l'école.

Le visage de Rosanna devenait de plus en plus sombre :

– Et alors ? Tu veux dire quoi ? Que je suis trop idiote pour lui ?

– Est-ce que tu connais Martin Luther King, au moins ?

Nouveau froncement de sourcils. Rosanna m'a adressé un de ses regards vert bouteille ébréché, bien tranchant. Mais j'ai poursuivi, imperturbable :

– Che Guevara ? Jack London ?

– Écoute, Magali, s'est-elle écriée, rouge de colère, c'est pas parce que tu es une bête en français, supercultivée et archi-intelligente que tu dois me casser…

– Je ne te casse pas. Je t'informe, comme tu me l'as demandé. T'es drôlement susceptible, aujourd'hui !

Elle s'est radoucie et a poursuivi dans un soupir :

— Bon, d'accord ! Cha machin et Jacques Odon, c'est qui ?

— Un révolutionnaire argentin et un écrivain américain. Ton Diego a écrit, dans *Cyrano*, des articles qui parlent de ces gens-là, entre autres...

Elle n'avait pas l'air rassurée du tout par cette avalanche d'informations.

— Mouais... Mais à quoi ça m'avance, de savoir tout ça ?

Elle s'est retournée pour me montrer le mur qui nous séparait du lycée, juste derrière le banc où nous étions assises :

— Ce que je veux, c'est le re-voir !

Elle martelait les mots en tapant du poing.

— Tu peux toujours passer tes après-midi à le guetter depuis la librairie, ai-je suggéré. Comme ça, tu te cultiveras !

— Très drôle ! a répliqué Rosanna avant de m'attraper par le cou pour me faire ployer la tête sur les genoux.

J'ai protesté en lui pinçant le mollet, elle m'a tiré un peu les cheveux, j'ai rugi... et nous avons éclaté de rire. Rien de tel qu'une petite bagarre pour se rabibocher.

Elle s'est soudain jetée sur les *Cyrano* :

– Regarde là : son mail ! Je vais lui écrire !

– Génial ! Tu vas lui demander quoi ? S'il peut te babysitter quand ta mère va au cinéma ?

J'ai pris une petite voix aiguë de gamine pour continuer :

– « Cher Diego, je m'appelle Rosanna, je suis la fille de la boulangère, je te trouve très beau et je voudrais sortir avec toi. Est-ce que tu voudrais bien me donner ton numéro de portable ? »

Elle m'a lancé un regard paniqué, mais j'ai poursuivi, impitoyable :

– Sérieusement, à quoi ça te sert de le croiser « par hasard » ou de lui envoyer un mail, si tu n'as rien à lui dire ? Réfléchis, Rosanna, ce type est en première ! Comment veux-tu qu'il s'intéresse à une fille de troisième ?

Elle a commencé à se mordiller les ongles. J'ai enchaîné d'une voix ferme :

– Pour qu'un garçon de cet âge-là regarde une fille beaucoup plus jeune, il ne suffit pas qu'elle soit belle. Surtout si c'est un garçon un peu intelligent, et qui s'intéresse à autre chose que le foot et les jeux vidéo !

– C'est vrai. Je ne suis jamais sortie avec un garçon aussi vieux…

Rosanna perdait pied, une drôle de panique passait dans ses beaux yeux verts. Elle semblait au bord des larmes.

Je n'aimais pas, mais alors pas du tout, ce que j'étais en train de lui dire. Mais c'était plus fort que moi ; en lui parlant, je sentais une étrange chaleur m'envahir. Un espoir fou, une idée empoisonnée venait de me traverser l'esprit.

Le complexe caché de Rosanna, c'est son cerveau. Elle est persuadée qu'il est plus petit que la moyenne, ce qui explique les difficultés qu'elle a à retenir ses leçons. Elle ne l'avouerait jamais à personne d'autre que moi, parce qu'elle a bien trop honte, mais elle est persuadée qu'elle est stupide. J'ai beau lui expliquer qu'elle ne doit pas l'être tant que ça, puisqu'elle s'en rend compte (alors que plein de gens qui se croient hyper malins sont des abrutis), elle ne veut pas me croire. Du coup, elle ne sort qu'avec des garçons un peu crétins.

Pour l'écarter de Diego, il me suffisait de lui expliquer qu'il y avait entre elle et lui trop de distance, qu'il l'écraserait ou se moquerait d'elle. Je devais la convaincre d'abandonner, lui faire croire que cette fois-ci elle était tombée sur un os qui pourrait lui laisser quelques bleus.

Mais c'était mal connaître ma Rosanna, têtue et fougueuse. Elle m'a interrompue avec de grands gestes :

— Je reconnais, je suis une cloche. Mais toi, tu es une fille intelligente, tu carbures à l'école…

J'ai fait « mouais » du bout des lèvres. À part le français et l'histoire, je suis plutôt dans le clan des nuls.

— Je ne vois pas où tu veux en venir…

— C'est pourtant simple ! Toi aussi, tu es une « intello », et ça ne nous empêche pas d'être super-super copines. Alors, tu vois bien !

J'ai rétorqué :

— Oui, mais toi, tu as une garde-robe fantastique. C'est pour ça que je suis ton amie…

Re-bagarre pour de faux avec vraies chatouilles, re-fou rire. Puis elle s'est allongée et a posé sa tête sur mes genoux, les mains sur ses yeux, signe qu'elle réfléchissait très fort.

— Bon, d'accord, a-t-elle poursuivi à voix basse. Je vais devenir tellement intelligente et cultivée qu'il en restera cloué sur place. Je vais le subjuguer par mes connaissances, tu vas me prêter tes lunettes pour que j'aie l'air d'une intello…

Je commençais à trouver que la conversation dérapait.

— Rosanna, je te rappelle que je suis très susceptible avec mes lunettes, et…

Elle m'a brusquement interrompue :

— Tu n'as pas cours cette après-midi ! Tu comptais faire quoi ?

— Des recherches sur la guerre d'Espagne, j'ai un exposé à préparer. Aucune envie…

J'ai rougi en réalisant que Diego Vasco, c'était sans doute un nom espagnol et, subitement, la guerre civile m'a semblé beaucoup moins rébarbative.

— J'ai quelque chose pour toi, a déclaré Rosanna en se redressant sur le banc. Tu vas me trouver des sujets de conversation, des informations sur ce qui l'intéresse, « Diego l'intello », pour que j'aie des choses à lui raconter quand je l'aborderai…

— Et pourquoi tu ne fais pas ça toute seule ?

Elle a secoué la tête d'un air désolé :

— Tu crois que j'en serais capable?

J'ai eu beau lui expliquer que ça ne pouvait pas marcher, elle n'en démordait pas. Elle a insisté :

– Internet. Tu n'as qu'à chercher un peu, me faire des « copier-coller » et moi, j'apprendrai ma leçon par cœur…

– Tu veux dire que je dois te faire un genre de recette miracle pour séduire Diego ?

À ce moment, la cloche a retenti. Je n'ai pas bougé : j'avais chaud, j'avais froid, mon cœur battait. Ce que Rosanna venait de me proposer, c'était bien mieux qu'un exposé. C'était comme de passer l'après-midi avec Diego…

– D'accord, ma Gali chérie ?

Elle s'accrochait à mon bras, suppliante, les yeux brûlants. Je n'ai jamais vu quelqu'un d'aussi impulsif. Elle n'avance pas, Rosanna, elle bondit, elle pirouette, elle voltige. On dirait un oiseau qui vibre dans le soleil, juste préoccupé par le moment qui passe. C'est peut-être pour ça qu'elle a l'air tellement vivante. J'ai réalisé à quel point je tenais à elle, comme on s'amusait bien toutes les deux. Et qu'elle était vraiment la personne que j'aimais le plus, bien plus que tous les Diego du monde.

Je l'ai embrassée et lui ai glissé à l'oreille :

– Ça marche. Je t'envoie un mail « spécial philtre d'amour »…

– Super ! Je t'adore.

Ses yeux se sont dilatés, clairs et pleins de

confiance. Elle m'a serrée très fort contre elle et s'est éloignée en courant. Un léger parfum de vanille flottait dans le sillage de son écharpe en laine turquoise.

Chapitre 4

Je me suis installée au fond du CDI, et je me suis connectée à Internet, la pile de *Cyrano* sous le coude.

Un vrai travail de détective. J'ai commencé par relever tous les sujets dont parlait Diego. Et il y en avait beaucoup : il s'intéressait aussi bien à la littérature et au cinéma qu'à la politique ou à la musique. J'ai surtout adoré un article qu'il avait écrit sur les héritiers de Martin Luther King. Ça m'a fait chaud au cœur, parce que dans ma chambre j'ai un poster où il est écrit en belles lettres rouges sur fond noir : *I Have a Dream*.

Une fois ma liste établie, j'ai surfé pour trouver des informations. Sélectionner, copier-coller, et le tour était joué. J'ai rempli une bonne dizaine de petites fiches sur des trucs aussi divers que la musique grunge, la révolution cubaine et la ségrégation raciale aux États-Unis. J'ai balancé mes infos sur rosanna@rostand, et je suis sortie du CDI en sifflotant. Ma mission était accomplie.

J'étais fière de moi, légère, enfin débarrassée de mes idées empoisonnées et tortueuses. L'air était doux, la pluie avait fait monter les parfums du jardin municipal. Pour une fois, j'aimais l'automne et ses couleurs dorées, et je respirais à pleins poumons en me dirigeant vers l'arrêt de bus. J'avais envie de vivre longtemps, de faire de grands voyages et d'écrire des romans qui se vendraient par kilos, comme les lunettes de l'opticien ! J'avais envie d'écouter de la musique à plein pot, de dévaler une côte à vélo, et d'être la marraine du premier bébé de Rosanna et Diego…

— Magali ! a hurlé une voix de l'autre côté de la rue.

J'ai sursauté en apercevant mon frère au milieu de son groupe de copains, devant la grille du lycée. Sans m'en rendre compte, j'avais dépassé l'arrêt de bus et je m'étais dirigée vers la librairie, vers la sortie du lycée…

Ma bonne humeur s'est évanouie, et j'ai rougi comme si Baptiste avait pu deviner les inepties qui me trottaient dans la tête. Mon frère a mis ses mains en cornet autour de sa bouche pour couvrir le bruit des scooters qui démarraient :

— Tu peux dire à maman que je vais dîner chez Paul ?

— Tu me prends pour ton portable ?

— Sois sympa, j'ai plus d'unités…

Les petits doigts sous les paupières, les pouces aux coins de la bouche, je lui ai tiré la langue aussi fort que j'ai pu. C'est alors que, dans l'espèce de brouillard où me plongeait ma grimace, j'ai vu se dessiner un casque noir, puis des cheveux noirs et bouclés, et des yeux noirs qui brillaient, qui rigolaient, qui me fixaient, et qui m'ont fait chaud comme une coulée de lave…

J'ai tourné la tête aussitôt, priant pour que le bus surgisse à l'instant, pour qu'il tombe du ciel telle une soucoupe volante, qu'il émerge du macadam en faisant exploser la chaussée… N'importe quoi, pourvu que j'échappe à la honte d'être surprise par Diego Vasco en pleine séance d'enlaidissement volontaire. Il m'a semblé entendre un rire monter du groupe de copains de mon frère.

Un crissement de roues, le soupir pneumatique des portes qui s'ouvrent ; je n'avais même pas vu que le bus était déjà arrivé. Je m'y suis jetée avec le même bonheur qu'un assoiffé dans une baignoire. Par chance, il était bondé. Je n'avais qu'une envie : disparaître dans la foule.

**

Le vent soufflait dehors, et il faisait froid dans ma chambre. La flamme de la bougie à la cannelle que j'avais allumée sur mon bureau lançait des ombres lugubres sur les rideaux.

Quand je sens le cafard ramper autour de mes murs, d'habitude, je me mets à l'ordi, j'ouvre un fichier et j'écris ce qui me vient à l'esprit. La plupart du temps, c'est sans queue ni tête ; des bricoles qui ressembleraient à des poèmes ou alors des débuts d'histoires, même pas un journal intime. Une espèce de défou-loir, où j'entrepose des idées décousues, qui me libère de mes soucis et que je ne fais jamais lire à personne, même pas à Rosanna – qui d'ailleurs s'en fiche comme de son premier doudou…

Mais, ce soir-là, rien ne venait. Sinon ces cinq lettres : D-I-E-G-O, que j'écrivais à la file sur des pages et des pages jusqu'à en devenir abrutie.

J'entendais papa et maman se disputer dans la cuisine. La soirée avait été exécrable. Papa avait passé son temps à s'énerver contre le réparateur de chaudières, qui avait promis de passer et n'était pas venu. Maman avait mal à la tête et lui lançait des regards suppliants pour qu'il arrête de grogner.

Parfois, quand je les sens de mauvais poil et prêts à mordre, je me dis qu'ils devraient se faire une petite bagarre eux aussi, comme Rosanna et moi. Pas pour se faire mal, juste pour se détendre un peu quand ils n'arrivent plus à se parler gentiment.

Ils criaient de plus en plus fort. Dégoûtée, j'ai éteint l'ordi, je me suis jetée sur mon lit et j'ai mis mes oreilles à l'abri sous mon casque. Puis j'ai plongé pour la centième fois dans les

Cyrano. En réalité, je ne lisais pas vraiment, je repensais à ma conversation avec Rosanna, à ma belle humeur de l'après-midi qui s'était envolée d'un seul coup et aux yeux noirs ourlés de longs cils qui rigolaient et que je n'arrivais pas à chasser de ma tête…

Je ne sais pas ce qui m'a pris ; voilà que, soudain, je me suis précipitée dans la chambre de mon frère.

Je suis restée quelques secondes dans le noir à me dire que j'avais tout mon temps : Baptiste dînait chez son copain et il n'y avait aucun risque qu'il me surprenne. Mais mon cœur battait toujours aussi fort. Je ne comprenais pas ce qui me poussait à agir.

Je savais exactement ce que je cherchais, et je n'ai pas eu besoin de fouiller longtemps pour le trouver. Finalement, il y a une forme de logique dans le bazar de mon frère. Il suffit de connaître la chronologie de sa vie et de procéder par strates, comme un archéologue. La photo que je cherchais n'était pas bien vieille, Baptiste l'avait montrée aux parents quelques soirs plus tôt. Moi, je l'avais à peine regardée, car à cette époque-là je ne savais pas que Diego existait.

Elle datait de la semaine précédente, quand

leur classe était allée passer deux jours à Londres. Elle devait donc être relativement accessible.

Comme je l'avais prévu, elle trônait en équilibre sur une pile de CD. Le temps de dire « ouf », et j'étais dans ma chambre, la photo posée sur mon bureau, sous le faisceau de la lampe.

La classe de Baptiste posait devant Big Ben, comme tous les Français en voyage scolaire à Londres doivent le faire depuis la nuit des temps. Au premier rang, évidemment, mon frère faisait l'idiot, l'arrière de son T-shirt relevé sur sa tête comme un foulard. Les autres se tenaient par le bras, par les épaules, rigolaient ou faisaient des grimaces. Au dernier rang, en toute logique, puisqu'il est vraiment très grand, se trouvait Diego. Son visage était légèrement de profil, il regardait quelque chose à l'extérieur du cadre. Sur ses lèvres flottait un sourire un peu lointain, comme si quelqu'un, à côté de lui, venait de raconter une blague un peu lourde. Il avait le même air, à la fois amical et ironique, que lorsqu'il parlait avec Rosanna devant la librairie. On aurait dit que tous les mystères de l'univers s'étaient donné rendez-vous sur cette bouche.

J'ai caressé le papier avec mes doigts, j'ai enlevé mes lunettes et... je me suis tellement penchée que mes lèvres ont effleuré le papier. Mon portable a sonné à ce moment-là, et j'ai sursauté, comme prise en faute.

***

C'était Rosanna, en grande forme, la voix guillerette, comme une abeille étourdie de bonheur dans un champ de fleurs.

– Gali chérie, c'est génial, ce qui arrive !

– Quoi ? Tu as eu un 18 en maths ?

Je ne sais pas comment j'ai eu la force de plaisanter, ni même de parler, tant ma gorge était serrée.

– J'ai dit « génial », pas « miraculeux » ! a-t-elle répondu en gloussant.

– Quoi alors ?

– Tu ne vois vraiment pas ? À propos de Diego...

Elle s'est mise à glousser de nouveau avant de poursuivre :

– J'ai la solution : la boum de Noël ! C'est dans une semaine.

Chaque année, les terminales de Rostand organisent une fête, dont les bénéfices vont à leur coopérative. La préparation leur prend tout le trimestre, et leurs boums sont en général super réussies. Enfin, selon la rumeur, parce que personne du collège n'y est jamais allé.

J'ai lâché d'une voix coupante :

– Tu n'es même pas sûre qu'il sera là.

– Oh, que si ! Maxime, mon ex, qui est en seconde et qui fait du judo, tu vois qui c'est ?

Je connais tous les ex de Rosanna par cœur. C'est presque comme si je les avais moi-même embrassés, tellement je les connais ! Et je me souvenais bien de Maxime, le numéro 3 sur la liste chronologique de Rosanna, presque deux mètres de haut et autant de large.

– Eh bien, Maxime m'a dit que Diego ferait partie de l'équipe de DJ, ce soir-là !

Sa voix s'est littéralement envolée à la fin de sa phrase. Les yeux fermés, j'ai essayé de chasser la scène implacable qui s'imposait à mes yeux : Diego penché sur sa console voit soudain entrer Rosanna. Elle s'avance vers lui, tellement belle et radieuse qu'une espèce de lumière la précède et éblouit Diego, qui tombe à ses genoux tandis que les CD s'envolent autour d'eux comme des colombes pour saluer leur amour naissant…

J'ai lancé mon dernier couteau d'une voix blanche :

— Tu ne pourras pas entrer. C'est réservé au plus de seize ans.

Elle a éclaté de rire :

— Tu parles ! Devine qui fait le videur ? Maxime ! Il nous laisse entrer quinze fois si on veut ! Et gratuit !

Aussi malin qu'un pot de géranium, le Maxime, mais, en tout cas, on ne pouvait pas le taxer de rancunier.

— « Nous » ? ai-je répliqué. Tu veux que je t'accompagne ? Pour faire quoi ? Tenir la chandelle ?

Un long silence au téléphone ; puis j'ai entendu un léger raclement de gorge :

— Qu'est-ce qui ne va pas ? Tu es bizarre, ce soir…

J'ai bredouillé des bouts de phrases sur ma fatigue, mon mal au crâne, un exposé sur la guerre d'Espagne à préparer…

— Mais cette boum, m'a coupée Rosanna, qui ne lâche jamais une idée quand elle en tient une, pourquoi tu ne veux pas venir ?

— Pas envie.

Elle a commencé alors un discours insensé sur mes tendances à rester repliée sur moi-même, à m'accrocher à ma famille, à me cacher derrière mes lunettes, et elle a fini par me dire d'un air menaçant :

— Je te préviens, Magali, si tu continues, tu vas perdre ta virginité à quarante ans…

J'ai sursauté :

— Parce que, toi, tu l'as perdue, ta virginité ?

— Non, bien sûr. Mais d'ici à l'année prochaine, j'y compte bien.

Et elle s'est mise à rire, comme si elle venait de sortir une bonne blague. J'étais tellement estomaquée que je n'ai rien répondu. Je me faisais l'effet d'un bébé effrayé, un petit chiot abandonné sur le bord de l'autoroute ; et tout à coup je me suis éloignée à des années-lumière de ma meilleure amie. Un ange est passé, triste et solitaire, pendant que le rire de Rosanna mourait dans l'écouteur. Il fallait vite que je trouve quelque chose à dire, sinon j'allais éclater en sanglots.

J'ai demandé d'une petite voix ;

— Et à part ça ? Tu as reçu mon mail ?

Elle a poussé un cri aigu qui m'a déchiré les tympans.

— Ça y est ! Je sais pourquoi tu fais la tête ! Je ne t'ai pas dit merci. Bien sûr que j'ai eu ton mail. C'est super, ce que tu as fait pour moi.

J'ai tout lu, c'est vraiment génial, toutes ces fiches…

À l'entendre, je savais qu'elle pensait à autre chose. Elle a repris d'une voix insistante :

– Magali, il faut que tu viennes à cette fête avec moi ! C'est notre première vraie boum, tu ne vas pas me lâcher !

Mon regard est tombé sur Big Ben et les yeux noirs, et j'ai lancé la dernière excuse dont je disposais :

– Impossible. Mes parents ne voudront jamais.

Chapitre 5

La salle de bains de Rosanna ressemblait à une parfumerie après un pillage. Les rouges à lèvres, les fards à paupières et à joues, les huiles qui font le corps doré, les gels-paillettes pour les cheveux… tous les tubes étaient ouverts et, comme nous avions essayé les quinze parfums de sa mère, une vapeur lourde flottait dans l'air. J'avais à moitié le mal de mer et, quand j'ai mis mes lunettes pour me regarder dans le miroir, c'est carrément la nausée qui m'a prise.

J'ai jeté un regard horrifié à mon amie :

– Tu as décidé de m'enlaidir, c'est ça ?

Elle a poussé de grands cris, m'expliquant que c'était parce que je n'avais pas l'habitude de me voir maquillée, mais que j'étais très bien. Elle a retiré mes lunettes, ébouriffé la queue de cheval qu'elle avait nouée au sommet de mon crâne et m'a montré comment je devais faire pour que mes cheveux forment une couronne au-dessus de ma tête. J'étais selon elle « super craquante, vachement mignonne, la plus canon des brunes de toute la boum »…

Car, bien sûr, j'avais fini par accepter de l'accompagner à la boum des terminales. Elle avait insisté, supplié ; elle avait affirmé que sans moi elle n'irait pas et avait menacé de ne plus jamais me prêter le moindre T-shirt si jamais je la lâchais…

Alors je m'étais fait une raison et je m'étais barricadée derrière un tas de bonnes résolutions : grand un, ne plus penser à Diego ; grand deux, ne pas chercher à le voir ; grand trois, remettre la photo en place dans la chambre de mon frère. Le plus difficile était d'entendre Rosanna parler de lui à longueur de journée et faire comme s'il s'agissait de quelqu'un d'autre.

Heureusement, le prétexte du brevet blanc, à passer juste avant les vacances de Noël, m'a permis d'éviter un peu ma meilleure amie avant la fameuse boum. Mes parents, tout étonnés de me voir réviser si sérieusement, n'avaient fait aucune difficulté pour me donner l'autorisation d'y aller. Un soir, j'avais surpris une conversation à voix basse entre eux. Ma mère me trouvait l'air anormalement triste, expliquant que je ne quittais plus ma chambre et que je ne voyais personne, même pas Rosanna. Mon père évoquait une « déprime adolescente », à quoi maman avait répondu qu'elle était sérieusement inquiète et qu'elle allait fouiller ma chambre pour être sûre que je ne me droguais pas en cachette… Il faut être parent pour inventer des trucs pareils ! Du coup, c'est tout juste s'ils n'ont pas sauté de joie quand je leur ai demandé la permission d'aller à la boum de Noël. Ils n'y avaient mis qu'une condition : que la mère de Rosanna, chez qui je devais dormir, vienne nous chercher à minuit.

Il était presque l'heure de partir pour

Rostand, et Rosanna m'a entraînée dans sa chambre, où les tenues que nous avions choisies s'étalaient sur le lit. Pour elle, un jean serré et un T-shirt noir orné d'une étoile rouge. Pour moi, un jean blanc et un T-shirt mauve à fines bretelles. J'avais repéré dans sa penderie une jolie robe avec des broderies indiennes violettes, mais elle avait fait une grimace : c'était trop habillé, trop « mémé ». Il paraît que ça fait « dinde » de s'habiller pour une fête. La vraie classe, c'est en gros ce qu'on met tous les jours pour aller au collège.

— Le chic, m'a expliqué Rosanna, c'est le style « Zut, j'avais complètement oublié que je sortais ce soir ». Tu piges ?

J'ai trouvé ça très drôle, vu qu'on avait passé à peu près trois heures à choisir nos tenues, et autant de temps à nous pomponner dans la salle de bains.

On a commencé à s'habiller en se déhanchant sur une chanson qui parlait de s'amuser en attendant le grand amour. Rosanna s'est mise à hurler les paroles en sautant sur son lit et en secouant la tête dans tous les sens. Comme elle avait défait ses nattes africaines, ses cheveux crêpelés formaient une crinière ondoyante autour d'elle. Elle était trop marrante ; et j'ai sauté sur le lit à mon tour. J'ai empoigné son oreiller, et j'ai commencé à me trémousser en le serrant sensuellement contre moi. Toute la tristesse de ces dernières semaines s'était envolée d'un coup.

À la fin de la chanson, on s'est écroulées l'une sur l'autre, hors d'haleine et hoquetant de rire.

– Tu sais quoi ? a fait Rosanna, encore tout essoufflée. Ce soir est un grand soir…

Elle s'est étirée sur le lit, son T-shirt noir est remonté jusqu'à son soutien-gorge. Au-dessus de son nombril, elle avait collé une petite lune argentée.

– … Diego Vasco, tu es fait ! s'exclama-t-elle en levant les bras jusqu'au plafond.

Rien n'a bougé en moi : pas de cœur qui bat, de ventre qui se serre, de gorge qui se noue. Nous avions parlé de cette soirée à peu près un milliard de fois avec Rosanna sans que je trahisse la moindre émotion. Mais à chaque fois qu'elle avait prononcé son nom, c'est-à-dire dix milliards de fois, j'avais dû me concentrer pour ne pas montrer ce que je ressentais.

Rosanna s'est dressée sur ses pieds et s'est écriée par la porte entrouverte :

– Maman, on est prêtes !

Puis elle s'est tournée vers moi et a ôté les lunettes que je venais de poser sur mon nez.

– Ce soir, tu ne les mets pas, a-t-elle décrété d'un ton sans réplique.

J'ai failli protester, puis je me suis ravisée. Pour une fois, finalement, il valait peut-être mieux que je sois aveugle.

***

Aucune lumière divine, aucune colombe d'amour, aucune sonnerie de trompette n'a précédé Rosanna quand elle est entrée dans le gymnase. Les boules de Noël et les guirlandes sont restées solidement arrimées aux poutres, et Diego n'a pas fait le grand écart en posant la main sur son cœur. D'ailleurs, quand on est arrivées, il y avait en tout et pour tout dix personnes dans la salle, frileusement regroupées autour de la buvette, un gobelet en plastique à la main. Et pas de Diego.

Rosanna s'y connaît en vrai chic et en code vestimentaire des boums, mais il y a un truc qu'elle avait oublié : une fête, ce n'est pas un cours de maths, et on n'arrive jamais à l'heure pile. On s'est donc gelées une bonne demi-heure, avec notre Coca à la main, avant qu'un courageux ne se lance sur la piste de danse, immédiatement suivi par une cohorte, dont Rosanna qui a commencé à se trémousser avec fougue. Je l'ai perdue de vue, ce qui n'était pas étonnant : au-delà de trois mètres, le monde de Magali sans lunettes est flou.

Au douzième slow de la soirée, alors que le gymnase ressemblait déjà à un bain de vapeur, Tom Arnaud, un petit gros de seconde avec un faux air de Barbapapa, m'a invitée à danser. Il n'a même pas attendu le refrain pour tenter de m'embrasser. Du moins, je suppose que c'était son intention, car, juste avant de détourner violemment la tête, j'ai vu son appareil dentaire se rapprocher à la vitesse de la lumière.

On a continué à danser en silence. Tom avait un peu desserré son étreinte (il devait être vexé) ; moi, je gardais la tête tournée de côté. Un ange est passé, et il a décidé de s'installer entre nous. D'ailleurs cet ange-là avait tendance à souvent croiser ma route, ces derniers temps. C'était peut-être mon ange gardien, une espèce de *body-guard* un peu farceur, voire carrément sadique…

Je commençais à avoir sérieusement besoin d'air et, tandis que Tom me caressait machinalement l'épaule, je me contorsionnais entre les couples de danseurs pour trouver Rosanna.

Dans mon brouillard de myope, j'ai fini par repérer sa crinière rousse, juste à côté des platines, emmêlée dans les boucles noires de Diego, et tellement près des enceintes qu'ils ne devaient pas pouvoir se parler. À force d'onduler stratégiquement dans les bras de Barbapapa, j'ai réussi à me rapprocher d'eux. Ma vision s'est affinée, et j'ai compris qu'ils n'avaient pas besoin de se parler, puisqu'ils étaient en train de s'embrasser.

Cela faisait des jours et des jours que je me préparais à ce spectacle, mais ça ne m'a pas empêchée de devenir de plomb dans les bras de Tom… Je n'arrivais même plus à danser, tellement je pesais des tonnes. Heureusement, la chanson était finie, et Tom s'est dépêché de tourner les talons, en me lançant un bref « bonne chance ! » Je l'ai regardé s'éloigner, surprise. Qu'est-ce qu'il avait voulu dire par son « bonne chance » ? On était à la loterie, ici ?

J'étais là, plantée sur la piste tel un poireau sur un terrain de basket quand quelqu'un m'a bousculée, renversant un verre de soda sur moi. Le joli T-shirt mauve a viré au caca d'oie poisseux, mon jean blanc s'est transformé en champ de Dragibus après la pluie.

J'ai pivoté, furibarde, prête à provoquer le crétin en duel. Mon frère me faisait face et me toisait de son air le plus ironique. Il m'a examinée de haut en bas, les sourcils relevés, et a lancé :

— T'as perdu ton chemin, Magali ? Ou alors c'est tes lunettes que t'as perdu ?

Ça devait arriver, bien sûr. Je l'ai su dès que nous sommes entrées dans le gymnase du lycée Rostand. Pas besoin de lunettes pour le voir : cette première boum serait une catastrophe. J'ai sifflé entre mes dents :

— N'approche pas, ou je te mords.

Mon frère a éclaté de rire, le doigt pointé sur la tache marronnasse qui s'étalait sur le mauve tendre du T-shirt.

— Approcher ? Tu rêves ! J'aurais bien trop peur de rester collé.

Je lui ai envoyé une bordée d'injures avant de me précipiter au vestiaire pour récupérer mon manteau. Les doigts tremblants, j'ai composé le numéro de la maison.

— Allô, papa ? Tu peux venir me chercher, s'il te plaît ? Excuse-moi, mais...

Je devais avoir une drôle d'intonation, car la

voix de mon père a résonné bizarrement dans mon portable :

— Qu'est-ce qu'il y a, ma chérie ?

— Rien. J'ai mal à la tête et je m'ennuie.

— Tu ne veux plus dormir chez Rosanna ?

— Non. Je t'attends devant le gymnase, d'ac' ?

— Pas dehors, il fait trop froid. Dans l'entrée. À tout de suite, ma chérie.

Je préférais geler sur le trottoir plutôt que cuire dans ce gymnase infernal. Je suis sortie et, pour me réchauffer, je me suis mise à faire le tour du cercle blafard que projetait le réverbère sur le trottoir. Pendant ce temps, le film de la soirée repassait en boucle dans ma tête, avec un ralenti démoniaque sur la crinière rousse et les cheveux noirs emmêlés.

— Magali !

J'ai sursauté en reconnaissant la voix de Rosanna.

— Qu'est-ce que tu fiches ? La fille du vestiaire m'a dit que tu étais partie.

Elle s'est approchée, en T-shirt. Ses lèvres étaient rouges et ses yeux brillaient. Elle m'a dévisagée, les sourcils froncés :

— Mais… tu pleures ou quoi ?

J'ai protesté :

– Pleurer ? Jamais ! C'est assez moche comme ça, les lunettes. Si, en plus, ça se transforme en aquarium embué…

– Magali, tu n'as PAS tes lunettes !

– Excuse, c'est l'habitude.

Elle me fixait, stupéfaite, en grelottant dans la nuit froide avec son T-shirt qui ne lui couvrait même pas le nombril.

– Tu es malade ?

– Juste crevée. Rentre vite, tu gèles. D'ailleurs, mon père va bientôt venir.

– Ton père ? Mais tu devais dormir à la maison…

Du coin de l'œil, j'ai vu arriver le break grenat de la famille.

– Le voilà ! Pardon, je suis pas en forme.

J'ai sauté dans la voiture avant qu'elle ait eu le temps de dire ouf. Je lui ai quasiment claqué la portière au nez.

– Et tes lunettes ? m'a fait mon père dès que j'ai posé les fesses sur le siège.

J'ai agité la main dans la direction de Rosanna, qui me regardait partir, les mains serrées sur ses bras frigorifiés :

– Elle me les rendra demain.

Mon père m'a fait une grosse bise et m'a demandé :

– Ça n'a pas l'air d'aller très fort, ma...

– Papa, un seul « poupoute », et je te jure que je me suicide cette nuit.

Il a fait « oh ! », mais il a dû comprendre que ce n'était pas une menace en l'air, car il n'a plus ouvert la bouche, sauf pour siffloter un vieux truc de Lennon qu'il adore. Ça parle d'un *Jealous Guy* qui ne sait plus où il en est.

Chapitre 6

Le lendemain matin, il faisait un temps de chien. Comme c'était le premier jour des vacances, je n'avais aucune raison valable de sortir du lit. À vrai dire, je me sentais même prête à y passer le restant de mes jours, à ne rien faire. Mais Rosanna n'était pas de cet avis, et elle m'a téléphoné pour me proposer d'aller au cinéma. J'ai accepté, motivée essentiellement par la perspective de récupérer mes chères lunettes bleues.

On s'est retrouvées dans l'après-midi, devant une salle où on passait le dernier Tom Cruise (Rosanna a un faible pour les Américains aux dents blanches).

Elle était arrivée en retard, et on n'a pas vraiment eu le temps de discuter avant le film. L'histoire était nulle, Tom Cruise avait l'air au bord du coma, tellement il s'ennuyait, et en sortant on a décrété qu'il avait une tête à jouer dans des navets.

— Quand même, je lui pardonne tout…, a ajouté Rosanna alors qu'on rejoignait la foule de Noël sur le trottoir. Tom Cruise, tu ne trouves pas qu'il ressemble à Diego ?

— Non. Pas du tout. Diego est grand, brun, athlétique. L'autre, c'est juste un nabot, tu sais…

Elle m'a jeté un petit regard en coin inquisiteur :

— Dis donc, tu serais pas un peu amoureuse ?

Je suis devenue rouge comme une pivoine et j'ai haussé les épaules d'un air exaspéré.

— Je rigole ! s'est exclamée Rosanna. Allez, viens, je vais te raconter toute la soirée.

On s'est dirigées vers le centre commercial, où elle espérait se trouver des lunettes de soleil, puisqu'elle partait le lendemain passer

Noël au ski avec son père. Je faisais semblant d'écouter, mais mes oreilles étaient hermétiquement bouchées. Je regardais à droite, à gauche, la foule des gens qui mettaient à sac les magasins à l'approche des fêtes, les guirlandes qui clignotaient, les faux Pères Noël qui faisaient gouzi-gouzi aux petits enfants. Je choisissais dans les vitrines ce que je m'achèterais si ma mère était plus cool et mon père millionnaire. Tout plutôt que d'entendre Rosanna me raconter comment il embrasse, et de quoi il lui a parlé et quand ils doivent se revoir. De temps en temps, je faisais « ah » et « oh »…

— Magali !

Elle a tiré sur ma manche :

— Tu es sourde ? Je te dis que le coup du T-shirt, c'était génial !

Le fameux T-shirt noir à étoile rouge ! L'idée venait de moi, et on avait passé le samedi précédant la boum à le chercher dans les boutiques du centre-ville.

Pourquoi celui-là ? Une des critiques de disque que Diego avait écrite dans *Cyrano* parlait des Offspring, un groupe de punk-rock américain, et de leur tube sur Che Guevara. C'est pourquoi j'avais pensé à un T-shirt à étoile rouge. Rosanna l'avait trouvé bien, mais un peu long. Alors elle avait coupé quinze centimètres en bas pour qu'on voie son nombril.

— Diego l'a adoré… Du coup, j'ai pu placer les Offspring, et ça l'a scotché ! On doit se voir ce soir, je voudrais lui offrir le même. Tu m'accompagnes au magasin pour que je lui en achète un ?

— Pas question. C'est à l'autre bout de la ville.

— Bon, tant pis ! J'irai toute seule. Dès que j'aurai trouvé des lunettes de soleil.

Elle m'a dévisagée :

— Qu'est-ce que tu as ? On dirait que tu me fais la tête. Et, d'abord, pourquoi tu t'es sauvée hier soir ?

Je lui ai raconté la rencontre poisseuse avec Baptiste, l'état de son T-shirt et j'ai réussi à la faire rire. À croire que dans une vie antérieure j'ai été un guerrier spartiate ; je suis capable d'être drôle même quand au fond de moi je me sens aussi tirebouchonnée qu'une vieille godasse abandonnée.

Puis je lui ai fait deux grosses bises en lui souhaitant de bonnes vacances, et je suis rentrée chez moi avec l'envie de mordre le monde entier.

***

Je me suis vengée sur Tom Cruise. À peine rentrée à la maison, je me suis jetée sur mon ordi, et j'ai écrit une critique du film que nous venions de voir. Ou plutôt une critique du beau Tom, qui commençait comme ça : « Avec sa tête d'ange *made in America* et son éternel sourire vide, Tom Cruise vous regarde de très loin, de très haut, d'un monde dont vous ne pouvez même pas soupçonner l'existence… » Je n'avais pas l'intention de faire lire ça à qui que ce soit, c'était juste pour me défouler un peu. Quand ma mère m'a appelée pour que je mette le couvert, j'avais écrit quatre pages très méchantes, mais très inutiles parce que je ne me sentais pas mieux pour autant.

Mon portable a sonné au moment où nous allions nous installer à table. C'était Rosanna, en larmes. J'ai filé dans le salon et fermé soigneusement la porte derrière moi, malgré le regard noir de mon père, qui ne supporte pas qu'on téléphone quand il est l'heure de manger.

– Mon bulletin est arrivé, ce matin, m'a expliqué mon amie entre deux sanglots. Et ma mère est verte de rage…

Ça m'a un peu étonnée. La mère de Rosanna, on ne peut pas dire qu'elle soit très sévère sur les résultats scolaires. Pas comme mes parents, qui en sont encore à me réclamer mon cahier de textes tous les week-ends.

— Elle est tellement en colère que… tu sais quoi ? Elle m'a privée de …

Le reste de sa phrase a été avalé par un sanglot.

— Elle t'a privée de tes vacances ?

— Même pas…, a hoqueté Rosanna. Non, pire que ça. Je n'ai pas le droit de sortir ce soir. Je ne verrai pas Diego avant de partiiiir…

Elle s'est mise à sangloter de plus belle. Je commençais à trouver qu'elle exagérait un peu.

— Tu pars au ski ! ai-je protesté. C'est quand même pas le bagne !

— Tu parles ! Je préférerais rester ici. Dix jours sans voir Diego, je ne vais pas survivre…

— Mais si. Tu lui téléphoneras tous les jours, même dix fois par jour, si tu veux.

— Il n'a pas de portable ! Il n'aime pas ça. C'est vraiment un original, tu sais ?

Oui, j'étais au courant. C'est même exactement pour ça qu'il me plaisait tant, Diego. La première fois que je l'ai vu, j'ai su que j'avais eu raison de faire la difficile jusque-là.

70

Il était différent des garçons que j'avais croisés. Seulement voilà, à force de les trouver toujours nuls, je n'avais aucune idée de comment parler, sourire à un garçon. Alors, je laissais Rosanna le faire à ma place et je devenais spectatrice. Je la regardais faire, avec curiosité et détachement, je découvrais l'amour à travers ses histoires, et cela me suffisait. Mais ce temps-là était fini.

– Il m'a demandé mon mail pour qu'on s'écrive pendant les vacances, a-t-elle poursuivi. Mais moi, ça ne me dit rien. Je déteste écrire. En plus, comment veux-tu que je trouve un ordi sur les tire-fesses ? Oh, Magali, je n'ai plus du tout envie d'aller au ski. Tu ne veux pas prendre ma place ?

« Oh, que si ! » ai-je failli répondre, en imaginant la délicieuse sensation que doit provoquer le contact des lèvres de Diego.

– Non, merci. J'aime pas le ski.

J'ai continué en lançant comme une bombe l'idée qui me traversait la tête :

– Mais, si tu veux, je peux lui écrire…

À ce moment, la voix coléreuse de mon père m'a rappelé que tout le monde m'attendait pour dîner.

– Deux secondes, papa ! ai-je crié.

– Qu'est-ce que tu racontes ? a fait Rosanna.

– J'utiliserai ton mail, et je lui répondrai comme si j'étais toi…

Elle a observé un silence de quelques instants avant de s'écrier :

– Tu ferais ça pour moi ?

D'une voix la plus neutre possible, malgré mon cœur qui cognait comme un fou, j'ai répondu :

– Ben oui. Ça m'occupera pendant les vacances…

– Et de quoi tu vas lui parler ?

J'ai entendu un sourire dans sa voix, et j'ai répondu en riant :

– Je ne sais pas, moi. De trucs rigolos, sympa ; rien de personnel, je te rassure.

Elle a lâché un petit gloussement de plaisir. Mon idée tordue lui plaisait bien.

– Magali, tu sais que je t'adore ? Qu'est-ce que tu veux que je te rapporte de la montagne ?

– Une vache qui fait « pouet-pouet » quand on appuie dessus.

Rosanna a éclaté de rire. Elle avait déjà oublié qu'elle pleurait cinq minutes plus tôt. Quand j'ai raccroché, j'ai vu que mes doigts étaient blancs tellement j'avais serré le téléphone. C'était vraiment l'idée la plus dingue qui me soit jamais passée par la tête. Mais, en même temps, ce n'était pas si stupide que ça : après tout, la plus banale des banales, qui n'avait aucune chance de séduire le plus beau, pouvait toujours s'offrir un amour par procuration...

Chapitre 7

Le premier mail de Diego est arrivé sur
<u>rosanna@rostand</u> le lendemain matin. Un tout
petit texte de trois phrases, que j'ai aussitôt
appris par cœur : « Je suis content d'avoir fait
ta connaissance. J'espère que tu t'amuses bien.
Moi, je bosse : français, maths, français,
anglais, français, etc., c'est dur ! »

J'ai attendu midi avant de répondre. Je ne
voulais pas avoir l'air de me précipiter sur le
clavier.

Trois ans plus tôt, j'étais allée skier avec mes parents, et j'ai décidé de me servir de mes souvenirs pour lui décrire la station où j'étais censée passer mes vacances. Au début, je n'y arrivais pas, je séchais, les yeux perdus sur le petit jardin triste et gris de notre maison. J'avais la nette impression de me noyer dans un énorme mensonge ; et puis, petit à petit, j'ai oublié où j'étais, qui j'étais, et les mots ont commencé à sortir tout seuls. Je lui parlais des sommets enneigés où le soleil se reflète en mille petits grains de lumière, de l'odeur des sapins et du bruit du vent qui chuinte dans les oreilles. J'ai inventé des descentes en schuss fantastiques, des chutes mémorables dans des mètres de poudreuse, et même une fête déguisée où je devais aller le soir avec des copains que je m'étais faits sur les pistes. Ça m'a pris deux heures, et j'étais fière de moi en appuyant sur le bouton *envoi*.

J'ai passé le reste de la journée à traînasser à la maison pendant que maman s'énervait parce que j'étais encore en pyjama. Comme je prétendais n'avoir rien à faire, elle a exigé que je me lance dans « le grand ménage de Noël » de ma chambre. J'ai protesté pour la forme, mais, dans le fond, elle avait raison. Ma chambre n'était pas loin de ressembler au dépotoir de Baptiste.

À quinze heures, Diego n'avait pas encore répondu. À dix-sept heures, toujours pas de nouvelles. Ma chambre était impeccable, et je tournais en rond sur Internet, je me baladais dans des forums de discussion stupides, juste pour passer le temps. Enfin, à dix-huit heures trente, j'ai trouvé un mail sur ma boîte.

Un long mail, cette fois, où il me racontait en détail sa journée. Je l'ai relu une quinzaine de fois. Diego était heureux que j'aie répondu aussi vite, il ne pensait pas que ce serait si facile de trouver un cybercafé en haut des pistes – et pour cause...

Il avait travaillé sa physique et ses maths le matin, l'après-midi il avait aidé son père à repeindre la grille du jardin, avant d'aller au cinéma avec un copain. Il me décrivait sa chambre, les posters qu'il avait au mur, la musique qu'il était en train d'écouter et le livre qu'il allait lire quand il aurait fini de m'écrire. Son mail se terminait comme ça : « Fais attention aux bosses et donne-moi vite de tes nouvelles. J'adore te lire. Tendrement. Diego. »

Ce *tendrement* m'a plongée dans un océan de sucre. J'ai mis le mail sur une disquette et je suis descendue au salon pour l'imprimer sur l'ordinateur familial. Je voulais l'avoir sur papier, le lire et le relire autant de fois que je voulais, même en me brossant les dents, même sous ma couette.

Papa était en train de préparer le dîner. Il a fait une drôle de tête quand il m'a vue en pyjama, et a voulu savoir ce que j'avais fait de ma journée.

– Rien ! ai-je répondu avec un grand sourire.

Sans demander mon reste, j'ai filé dans ma chambre pour lire le *tendrement* imprimé que je tenais serré contre mon cœur.

***

Pendant cinq jours, je n'ai pas mis le nez hors de la maison. Il faisait horriblement froid et il pleuvait tout le temps. Mais je m'en moquais. Matin, midi et soir, j'écrivais à Diego (j'avais prétendu qu'il y avait Internet en libre accès à l'hôtel où j'étais). Il me répondait aussitôt, et je passais mon temps à savourer son dernier mail et à réfléchir à ce que j'allais lui écrire.

Au début, je me contentais de lui raconter des histoires de schuss, de poudreuse et de fondue savoyarde. Puis je me suis concentrée pour me mettre dans la peau de Rosanna, pour essayer de parler comme elle et de décrire sa vie. Sa mère qui est si marrante et toujours de bonne humeur, son père qu'elle ne voit quasiment jamais depuis que ses parents sont séparés, la boulangerie où on a passé des heures ensemble, à jouer à la marchande dans un coin... Je racontais la vie d'une jeune fille que je connaissais depuis longtemps, et c'était presque amusant. J'ai même parlé de ma meilleure amie, « une fille super chouette avec qui tu t'entendrais très bien », c'est-à-dire moi, Magali...

Pourtant, très vite, j'en ai eu marre d'inventer une vie qui n'était pas la mienne. Alors j'ai commencé à parler de moi pour de vrai. Enfin, j'ai continué à signer Rosanna, mais j'ai arrêté de me censurer. Je lui ai parlé de mes rêves d'avenir, de mon envie de devenir écrivain et de tous les petits bouts d'histoires que j'écrivais depuis que j'allais à l'école. Il m'a confié qu'il voulait faire des films et qu'il avait des scénarios plein ses tiroirs. Nos mails devenaient longs comme des chapitres, et chaque fois plus intimes. Je lui ai avoué que je n'étais jamais tombée amoureuse d'un garçon, il m'a raconté qu'il avait eu un amour malheureux à treize ans et qu'il avait encore du mal à s'en remettre.

***

Le matin de la Saint-Sylvestre arriva, avec un mail intitulé : « Un peu en avance ». Diego m'envoyait ses vœux parce qu'il partait le soir même chez sa famille pour trois jours. Il ne pourrait sans doute pas m'écrire jusqu'à son retour, la veille de la rentrée. Je me suis figée devant mon écran, tétanisée à la perspective de ces trois immenses jours sans mails.

Mes cousins de Paris ont débarqué avec leurs parents pour passer le réveillon avec nous. D'habitude, c'est toujours la fête quand on se retrouve ; mais cette fois-là je n'avais pas envie de m'amuser avec eux. Je les ai même trouvés carrément ridicules à se dandiner sous les serpentins, en chantant à tue-tête des refrains débiles. La présence de tous ces gens hilares autour de moi rendait ma solitude plus palpable.

La vie me semblait horriblement morne, tout à coup, sans les mails de Diego. Je n'avais plus rien à attendre, et j'ai bien été obligée de réfléchir à ce qui allait se passer. J'étais coincée au fond d'un trou. Aucune chance de m'en sortir, sauf en lui avouant la vérité. Rien que d'y penser, je gelais littéralement. J'avais pris la place d'une autre. Je pouvais toujours frissonner en rêvant à lui, dévorer de baisers sa photo devant Big Ben et le faire craquer avec mes mails rigolos, ce n'était pas moi qu'il voyait.

J'avais l'impression de les avoir trahis l'un et l'autre : Diego, qui s'était livré à moi en croyant parler à une autre, et Rosanna, qui me faisait une confiance aveugle.

Je n'osais même pas imaginer la tête de mon amie en train de lire notre correspondance : il était évident que j'avais largement outrepassé le cadre de ma mission, comme on dit dans les films de guerre. J'avais même carrément dépassé les bornes. J'aurais pu me contenter de lui écrire une ou deux fois, lui envoyer des : « Coucou, ici, c'est gros délire, bises, je pense à toi », comme ces cartes postales débiles qu'on s'envoie entre copains pendant les vacances. Au lieu de quoi, j'avais parlé avec les mots de l'amour, des mots qui venaient du plus profond de moi et n'avaient plus rien à voir avec Rosanna…

J'avais tellement peur de sa réaction que je ne répondais plus au téléphone, de crainte que ce soit elle qui m'appelle depuis sa station de ski. J'étais devenue une espèce d'autruche, la tête dans sa boîte à mails, pour qui rien d'autre n'existait plus.

Je devais faire une drôle de tronche, assise toute seule devant le feu, alors que les autres se tordaient de rire dans les cotillons, car Baptiste en personne est venu aux nouvelles.

– Ben alors ? a fait mon frère d'une voix ramollie par les bulles de champagne, qu'est-ce qu'elle a, la poupoute ? Elle est triste ?

À minuit, j'ai embrassé tout le monde sous le gui, le sourire scotché sur les lèvres, et je suis montée dans ma chambre. Avec l'arrivée de la nouvelle année, j'étais bien obligée d'atterrir. Mais j'avais volé trop loin, et je ne pouvais pas revenir en arrière. Il me restait trois jours avant le retour de Diego et de Rosanna. J'ai allumé une bougie et j'ai choisi ma première bonne résolution. J'ai écrit « Adieu » au dos de la photo de Diego. Puis j'ai mis la photo au-dessus de la bougie et je l'ai regardée brûler.

***

« Il faut que je t'avoue quelque chose, m'a écrit Diego lorsqu'il est rentré. Quand je t'ai embrassée à la boum des terminales, je croyais que tu étais juste une jolie fille, marrante et délurée. Mais ton apparence est trompeuse... »

J'avais passé trois jours à essayer de chercher une issue de secours. Il n'y en avait pas, j'étais bel et bien au fond du puits. Alors, cette dernière phrase m'a fait l'effet d'une échelle tombée du ciel : « Ton apparence est trompeuse... » Je l'ai relue une quinzaine de fois jusqu'à me convaincre que peut-être il avait deviné.

Il faisait presque nuit quand je me suis jetée à l'eau. J'ai envoyé un petit mail tout sec, avec une seule phrase : « Il faut se méfier des apparences. » Une phrase idiote que j'ai regrettée aussitôt le bouton *envoi* pressé. Ensuite, j'ai attrapé mon manteau, mon vélo et je suis allée noyer mes ennuis sous le déluge.

***

Les ennuis savent nager, visiblement. Car un quart d'heure plus tard, j'étais devant chez

Diego, trempée et toujours aussi tremblante. Je n'avais pas de plan, aucun but précis, à croire que mon vélo s'appelait Jolly Jumper et qu'il connaissait le chemin par cœur. J'ai reconnu immédiatement la maison : elle était exactement comme il me l'avait décrite dans son mail. Les lumières étaient allumées dans le salon ; à l'étage, une pièce, peut-être sa chambre, était éclairée. Dire qu'il était si près, à un jet de pierre…

Un peu plus loin, de l'autre côté de la rue, il y avait une cabine téléphonique dans laquelle je me suis réfugiée. J'ai alors pensé à l'appeler. Je lui demanderais de me rejoindre dehors. Et là, serrée contre lui dans la cabine, dégoulinante et confuse, je lui avouerais tout…

À cette pensée, je grelottais, mes dents claquaient, mes mains tremblaient, je me sentais plus perdue qu'une brindille dans un désert de glace. Je regardais fixement la maison de Diego en priant pour qu'un miracle s'accomplisse. Puis je me suis mise à compter lentement : si Diego ne sortait pas avant que j'arrive à 1000, je sonnerais à la porte et je lui raconterais tout.

La nuit tombait et le froid devenait insupportable dans ma cabine mal fermée. J'en étais à

756, le bout de mes doigts commençait à bleuir et j'étais sur le point de rentrer à la maison quand une voiture s'est garée juste devant chez lui. Je me suis faite toute petite dans la cabine, qui heureusement n'était pas éclairée.

Diego est descendu et a ouvert le portail de la maison. Mon cœur s'est mis à battre à toute vitesse. Dans la lueur jaune des phares, il était encore plus beau que dans mon souvenir. Pendant que le conducteur manœuvrait pour rentrer, il attendait, adossé au portail.

Son regard s'est porté vers la cabine, et j'ai fait volte-face, recroquevillée, la tête dans les épaules, prête à creuser le sol pour pouvoir m'enfuir.

Je ne pouvais pas lui parler : son père était avec lui. J'ai attendu qu'il ait disparu dans la maison pour sortir de la cabine téléphonique, et je suis rentrée en pédalant de toutes mes forces pour me réchauffer. Les larmes qui roulaient sur mes joues se transformaient aussitôt en stalactites.

***

De : diego@rostand
À : rosanna@rostand
Objet : *boum, boum, boum*

Ma chère Rosanna. Je viens de recevoir ton mail. Tu as l'air très fâchée. Est-ce que tu es vraiment fâchée ? J'espère que non, car cela me rendrait très malheureux. Ce que je voulais te dire à propos de ton apparence, c'est que tu es bien plus qu'une jolie fille un peu délurée. Tes mots sont encore plus beaux que tes yeux. Et je crois bien que je suis tombé sous le charme... Boum !

Diego

PS. On se verra à la rentrée. Demain après-midi, j'attendrai à la sortie du collège.

Ce mail venait de tomber dans ma boîte aux lettres quand je suis rentrée et, toute trempée que j'étais, j'ai trouvé le moyen d'éclater en sanglots. C'était la première fois que quelqu'un me faisait une déclaration d'amour. Même dans mes rêves les plus fous, je n'avais jamais rencontré un garçon qui me plaisait autant, qui me comprenait aussi bien.

Mais ces mots n'étaient pas pour moi. Ils étaient adressés à une autre, à une espèce de créature qui n'existait pas, qui avait les yeux de Rosanna et les mots de Magali. Et ce monstre que j'avais créé, je n'arrivais plus à le contrôler.

Chapitre 8

Rosanna a débarqué chez moi le dimanche vers midi, alors que j'étais encore au fond du lit. Je ne dormais plus depuis longtemps, mais j'étais incapable de me lever. Ma mère a poussé la porte de ma chambre doucement, la mine inquiète et un grand verre de jus d'orange pressée à la main, le remède des jours de grande fatigue.

– Chérie, tu es sûre que tout va bien ? Est-ce que tu veux que je dise à Rosanna de repasser plus tard ?

J'ai failli répondre que oui, que j'étais malade et que je n'avais pas la force de me lever. Mais cela ne servait à rien. Un jour ou l'autre, il faudrait bien que j'assume ce que j'avais fait.

Rosanna est entrée dans ma chambre comme une tornade, elle a ouvert en grand les volets et a laissé tomber son anorak sur le tapis. Puis elle m'a serrée dans ses bras en s'écriant qu'elle avait essayé de m'appeler au moins vingt fois.

— Mon portable est cassé, ai-je répondu en détournant le regard.

Elle avait l'air en pleine forme. Ses yeux verts semblaient plus clairs grâce à un léger bronzage.

— On dirait que tes vacances n'ont pas été géniales, a-t-elle remarqué.

J'ai fait la grimace avant de répondre :

— Pas géniales, c'est le mot…

J'ai rassemblé toutes mes forces avant de poursuivre :

— Rosanna… J'ai un truc à te dire. C'est pas facile, mais…

Elle ne m'a pas laissée continuer :

— Alors, on commence par moi, car, moi aussi, j'ai un truc à te dire : je suis sortie avec un type génial au ski !

Heureusement, j'étais encore à moitié assise dans mon lit et je ne suis pas tombée.

– Qu'est-ce que tu racontes ?

– Il s'appelle Mathieu, il habite à Bruxelles, il a dix-sept ans, il skie comme un dieu, on a même fait du hors-pistes et du surf ensemble, il est blond, il mesure...

– Stop !!!

J'ai dû hurler car Rosanna s'est interrompue net. Je me suis mise à bégayer :

– Et... Diego ? Tu en fais quoi ?

– Tu avais raison, a-t-elle fait en haussant les épaules. Ce n'est pas un type pour moi.

J'étais tétanisée, incapable de faire un mouvement. J'ai murmuré :

– Tu ne peux pas faire ça ! Tu vas lui briser le cœur.

Ma voix était comme un souffle d'air, prête à être balayée par les sanglots qui remontaient de mon ventre.

– C'est la vie ! a-t-elle répliqué avec insouciance. Les ruptures, ça arrive tous les jours à des millions de gens. Il s'en remettra...

J'ai repoussé ma couette de toutes mes forces et j'ai bondi hors du lit.

– Et moi, je te dis qu'il ne s'en remettra pas ! Il a déjà connu une déception amoureuse et il en souffre encore. Parce qu'il a du cœur, il est sensible, sincère, et il va souffrir des mois, des années…

— Magali, si tu me disais ce que tu as trafiqué avec mon mail ?

J'ai ignoré la question et j'ai poursuivi :

— Et moi, je l'aime ! Je l'aime vraiment, je l'aime tellement que je ne supporterai pas de le voir malheureux à cause de toi …

Elle a ouvert des yeux ronds. J'étais lancée et rien au monde n'aurait pu m'arrêter. J'ai continué d'une voix basse, grondante de colère :

— Je me suis dévouée pour toi. Parce que, pour moi, l'amitié, c'est sacré ! Et lui, il t'aime ! Enfin, il aime surtout ton âme, parce que je lui ai montré que tu avais une âme, et tu vas le décevoir atrocement, mais ça t'est bien égal…

— C'est quoi, ces salades ?

— Pour toi, évidemment, tout ça, c'est des salades. La fidélité, la générosité, l'altruisme, tout ça passe bien au large de ta si précieuse petite personne, n'est-ce pas ?

J'étais hors de moi. Heureusement, ma mère est entrée dans la chambre à ce moment-là, avec un vrai plateau de petit déjeuner. Je n'avais pas eu droit à tant d'égards depuis ma coqueluche.

– Regarde, Magali ! s'est-elle exclamée. Rosanna est venue avec des croissants tout chauds.

Elle s'est tournée vers mon amie pour ajouter à mi-voix :

– Elle a perdu l'appétit, ces derniers temps. Ça fait deux jours qu'elle ne quitte pas son lit. Il était temps que tu rentres, elle dépérit sans toi…

Un ange-gardien-de-prison est passé entre nous, ricanant en silence, pendant que maman papotait en nous servant une tasse de chocolat. Rosanna a ramassé ses affaires en expliquant qu'elle devait aller aider sa mère au magasin et qu'elle repasserait peut-être plus tard pour voir si j'allais mieux.

Quand la porte s'est refermée sur elle, ma mère m'a demandé d'une petite voix :

– Vous vous êtes disputées ?

– Maman !

J'ai horreur que ma mère se mêle de mes affaires.

– Très bien, a-t-elle répondu d'un air un peu pincé. Rapporte tout ça à la cuisine quand tu auras fini. Je file rejoindre ton père dans le jardin, il a besoin de moi.

Dès qu'elle a eu le dos tourné, je me suis

assise à mon ordinateur pour jeter le fichier de ma correspondance avec Diego. Je l'avais conservé à l'intention de Rosanna, je voulais qu'elle lise tout, de la première à la dernière ligne. Même si elle se fâchait, aucune ombre ne devait subsister entre nous.

J'avais le doigt sur le bouton *supprimer*, j'ai fermé les yeux et j'ai retenu ma respiration. Mais, au dernier moment, je n'ai pas pu. Il me fallait garder une trace. J'ai mis le fichier sur une disquette et je suis descendue au salon. La maison était déserte, je pouvais imprimer tranquillement sans que personne ne regarde par-dessus mon épaule. Puis j'ai glissé les feuilles dans une chemise en carton et j'ai jeté la disquette dans le feu qui se consumait doucement dans la cheminée. Une infecte odeur de plastique brûlé s'est répandue dans le salon, l'odeur nauséabonde des amours gâchées.

Chapitre 9

Le lendemain, jour de la rentrée, je me suis débrouillée pour ne pas voir Rosanna. Je suis restée en classe pendant les récréations, et je ne suis pas allée à la cantine. Mais, à la sortie des cours, elle m'attendait à un endroit où elle ne pouvait pas me louper, devant la loge du concierge. Elle m'a fait un coucou au moment où je m'apprêtais à franchir la grille :

– J'avais peur que tu sois encore malade…

– Non, c'est fini.

– Tant mieux.

Elle m'a adressé un drôle de sourire piteux, qui ressemblait comme deux gouttes d'eau à une demande d'armistice. Mais je n'étais pas prête à faire la paix aussi vite.

– Si j'ai bien compris, a enchaîné mon amie en me prenant doucement par le bras, tu as profité de mon adresse mail pour tricoter une histoire romantique avec un garçon encore plus beau que Tom Cruise… Pour une fille architimide qui se fiche des garçons, tu fais très fort !

J'ai rougi. Elle n'avait pas tort de me remettre à ma place. Elle avait certainement des choses à se faire pardonner, mais je n'étais pas non plus blanche comme neige.

Il a commencé à neiger, justement, et j'ai ouvert la bouche pour attraper les petits flocons qui me piquaient la langue comme de minuscules fléchettes réfrigérées.

– Si tu m'expliquais ce qui t'est passé par la tête, hein, cachottière ? a demandé Rosanna.

Elle m'a lancé une bourrade dans les côtes, comme une invitation à une petite bagarre de copines. Je n'avais pas envie de faire l'andouille, encore moins de fournir des explications. Je m'apprêtais à la planter net, quand j'ai aperçu Diego sur le trottoir en face du collège. Immobile, le casque noir glissé sous le bras, il parcourait des yeux la foule des collégiens. J'aurais vendu mon ange gardien pour être celle qu'il était venu chercher.

— Qu'est-ce qu'il fabrique là ? a lâché mon amie entre ses dents. C'est toi qui…

J'ai hoché la tête, pétrifiée. L'autruche que j'étais devenue allait devoir définitivement se sortir de son sac d'embrouilles.

— Tu aurais pu me prévenir ! a sifflé Rosanna dans mon oreille.

À ce moment, Diego l'a aperçue, son visage s'est éclairé de joie, et il s'est élancé vers nous. Il ne m'a vue qu'au dernier moment, alors qu'il se penchait pour embrasser Rosanna. Il m'a saluée poliment avant de se tourner vers elle.

— Hello ! a-t-elle fait en grimaçant un horrible sourire artificiel.

J'ai vu une ombre inquiète traverser le visage de Diego. Des flocons de neige s'étaient accrochés sur ses immenses cils et dans ses boucles noires. Jamais il ne m'avait paru aussi beau. Il a répondu presque timidement, sans quitter mon amie des yeux, mais en reculant d'un pas :

– Salut…

– Tu tombes mal, a poursuivi Rosanna, aussi glaciale que la bise qui s'engouffrait dans la cour, j'ai un rendez-vous super urgent…

– Ah…

Diego a encaissé le choc sans broncher, mais il a fait une drôle de tête. Malgré le froid, je sentais des rigoles de sueur dégouliner dans mon dos. Je me suis éloignée de quelques pas, prête à battre en retraite, mais Rosanna m'a fermement attrapée par le bras avant de me pousser vers lui.

– Tiens, s'est-elle exclamée, soudain toute joyeuse, je te laisse ma copine Magali. Elle t'expliquera mieux que moi ! Il faut que je me sauve. Salut, la compagnie !

Elle nous a fait un petit geste de la main avant de traverser la route sans se retourner. Diego l'a regardée partir, les sourcils froncés, la bouche serrée. J'étais transformée en statue de glace. Comment pouvait-elle rompre avec cette sécheresse, cette légèreté de garce ? Et comment pouvait-elle m'abandonner face à lui, après l'avoir rembarré de cette façon ?

À ce moment-là, j'avais oublié qu'elle n'avait pas échangé des mails qui parlaient de rêves d'amour et d'avenir avec Diego. Elle n'avait passé qu'une soirée avec lui, et désormais il n'était rien de plus qu'un nom sur sa liste, quelque part entre Steve le Hobbit et Mathieu le Belge…

Diego a fini par se souvenir de ma présence et il a haussé les épaules avant d'ajouter, sa jolie bouche déformée par un rictus amer :

– Bon, eh bien, je ne pense pas qu'il y ait grand-chose à expliquer. C'est clair, en ce qui me concerne…

Malgré son air désinvolte, je voyais bien qu'il était KO. Je lui ai fait un petit sourire compréhensif. Mon cœur battait si fort qu'il m'empêchait de parler. Les yeux baissés, Diego triturait nerveusement la lanière de son casque. Il a murmuré d'un air songeur :

– Elle est bizarre, ta copine…

C'était vraiment un drôle d'ange gardien qui était penché au-dessus de mon épaule, du style pieds fourchus, oreilles en pointe et langue rouge. Et c'est sans doute lui qui m'a soufflé la réponse que j'ai lâchée sans réfléchir :

– Les apparences sont trompeuses.

Je me suis mordu les lèvres aussitôt. J'avais choisi la façon la plus stupide de lui apprendre la vérité, j'avais agi avec le genre de courage qu'il faut pour se jeter du haut d'une falaise.

En m'entendant, Diego s'est figé et m'a dévisagée comme si j'étais un serpent venimeux. Plein de mépris, il a dit :

– Parce qu'en plus elle t'a fait lire ? Vous êtes vraiment toutes des pestes bavardes et débiles, alors !

Avant que j'aie pu réagir, il avait disparu lui aussi. La neige s'était mise à tomber dru. Elle pesait sur mes épaules, aussi lourde qu'un manteau de plomb, m'empêchant de faire le moindre geste.

***

Je n'avais plus envie d'envoyer de mail à quiconque. Alors, une fois rentrée chez moi, j'ai sorti mon papier à lettres pour écrire à Rosanna ce que j'avais sur le cœur. J'avais le choix entre la vieille panoplie «Pocahontas» de mes huit ans et le papier rose mauve parfumé à la violette, cadeau de Noël de ma grand-mère. J'ai choisi la violette ; mais ce que j'avais à écrire était tellement méchant que j'aurais pu aussi bien prendre une feuille de papier toilette. Je suis allée moi-même la déposer à la boulangerie. Manque de chance, Rosanna était en train de bavarder avec sa mère derrière la caisse. Elle a eu l'air ravie de me voir et s'est écriée :

— Justement j'allais t'appeler ! Alors, raconte !

Elle a pris d'un air surpris la lettre que je lui tendais sans rien dire.

Un client est entré, et elle m'a attirée vers le couloir qui mène au fournil, dans les bonnes odeurs chaudes où on avait joué si souvent à la marchande.

— Pourquoi tu fais cette tête ? a-t-elle demandé. Ça s'est mal passé ?

Du coup, j'ai vu rouge, et je me suis mise à aboyer :

— Parce que c'était censé bien se passer ? Tu pensais quoi ? Qu'il allait se jeter dans mes bras ? C'est pour ça que tu l'as démoli comme un parasite puant ? Pour que je le ramasse à la petite cuillère ?

Elle a poussé un cri d'indignation.

— Ce n'est pas moi qui lui ai demandé d'être là. Je ne savais même pas que j'avais rendez-vous avec lui !

On s'est affrontées des yeux quelques instants, prêtes à nous lancer toutes les flèches empoisonnées qui nous tomberaient sous la main. Au bout d'une éternité silencieuse et meurtrière, j'ai décidé qu'il était temps de conclure, et j'ai fini, en désignant la lettre qu'elle serrait entre ses doigts :

– Tout ce que j'ai à te dire est écrit là-dedans.

***

Le lendemain matin, au collège, elle avait les yeux rouges de quelqu'un qui a passé sa nuit à pleurer, et elle m'a tourné le dos dès qu'elle m'a aperçue. Je n'ai rien fait pour la rattraper, et on a réussi à ne pas se croiser de toute la journée.

Les jours qui ont suivi se sont déroulés dans un affreux brouillard gris, rythmés par le refrain implacable et monotone que je ressassais du matin au soir : j'ai perdu Diego, j'ai perdu Rosanna...

Jusqu'à ce que, une semaine plus tard, un mail renversant arrive sur ma boîte à lettres. Il était signé *Cyrano*, le journal du lycée Rostand. L'équipe de la rédaction me félicitait pour ma critique sur Tom Cruise et me proposait de venir montrer d'autres textes à la prochaine réunion.

Je n'avais pas envoyé de mail à *Cyrano*, et

encore moins de critique de film avec Tom Cruise ! J'avais beau chercher, je ne voyais qu'une personne pour faire un coup pareil. La seule personne qui connaissait tout de moi, y compris mon mot de passe Internet et les codes d'accès à mes fichiers. J'ai sauté sur mon téléphone :

— Pourquoi tu as fait ça ?

— « Ça » quoi ? a répondu la petite voix de Rosanna.

— Ne joue pas l'idiote, et réponds : pourquoi as-tu envoyé mes textes à *Cyrano* ?

Elle a poussé un long soupir avant de lâcher :

— C'est trop long, trop compliqué à expliquer maintenant.

La moutarde commençait à me chatouiller le bout du nez. J'ai répliqué :

— Alors, moi, je vais t'expliquer deux trucs très simples : un, je n'aime pas qu'on fouille dans mon ordinateur ; deux, si j'ai besoin de toi comme entremetteuse, ce qui m'étonnerait, vu comment tu es douée, je t'appellerai. Salut !

— Attends ! Magali, te fâche pas ! Les textes que tu écris, c'est pas forcément pour plaire à Diego …

J'ai attendu la suite en retenant ma respiration.

– C'est vrai, a enchaîné Rosanna, tu as du talent pour écrire. Moi, je trouve que c'est dommage que personne n'en profite. Alors, voilà, comme je sais que tu es timide, que tu n'oseras jamais parce que tu n'as pas... confiance en toi, je voulais juste t'aider... je voulais... tu comprends ?

– Pas bien, non.

Elle a continué à s'embourber dans son discours plein de soupirs, et je la laissais poursuivre en dégustant chacun de ses points de suspension. Juste avant de raccrocher, elle a fini par dire dans un souffle :

– Magali, je suis incapable de t'en vouloir. Tu me manques trop. Je t'aime... vraiment.

Chapitre 10

Le comité de rédaction de *Cyrano* où j'étais invitée se tenait deux jours plus tard. J'y suis allée, gonflée à bloc grâce aux encouragements de Rosanna. Elle avait voulu me prêter le blouson rouge de sa mère, puis un pull en cachemire, mais j'avais refusé. Je voulais y aller telle que j'étais. J'avais quand même accepté de nouer à mon poignet un bracelet porte-bonheur qui lui venait de son chéri bruxellois, qui était, paraît-il, un « chaman » aux pouvoirs psychiques très forts. Elle lui avait donné l'heure du rendez-vous, et il se concentrerait depuis Bruxelles pour que des ondes positives traversent l'espace jusqu'au bracelet noué à mon poignet. Je n'étais pas tout à fait convaincue, mais je ne risquais rien à accepter.

Dans mon cartable, j'avais glissé une chemise avec des textes que j'aimais bien : un poème délirant sur un ordinateur qui fume en cachette, une petite nouvelle de science-fiction et quelques critiques de film que j'avais écrites en vitesse les nuits précédentes.

Le gloss que j'avais posé sur mes lèvres avant de partir n'a pas duré longtemps : j'ai erré un quart d'heure dans le lycée en me mordant les lèvres avant de trouver la porte de la salle E50.

Il y avait une dizaine de lycéens dans la salle, des garçons et des filles qui discutaient et se sont retournés en me voyant entrer. Je ne connaissais personne, à part Diego, qui se tenait dans le fond, assis sur une table, en train de lire un papier. Il ne m'a pas vue arriver.

— Je suis Magali, ai-je bafouillé sans m'adresser à quelqu'un en particulier. C'est moi qui ai envoyé… enfin, écrit le texte sur Tom Cruise.

— Oh, génial ! a fait une fille sur la droite. Moi, c'est Katia. Lui, là-bas, c'est Diego, le rédac-chef.

— On se connaît, a-t-il répondu d'une voix rogue.

Il s'est avancé vers moi, les bras ballants, et je n'ai pas pu m'empêcher de faire un pas un arrière. Ses yeux sombres me fixaient sans aucune sympathie.

— Très marrant, le « Tom Cruise ». Mais, franchement, si j'avais su qui l'avait écrit…

Il n'avait pas besoin de finir sa phrase pour que je comprenne que je n'étais pas la bienvenue. J'ai repensé aux mots de Rosanna : « pas que pour plaire à Diego », « pas confiance en toi », « le talent des mots », j'ai touché du bout du doigt le bracelet brésilien et j'ai rétorqué vivement :

— Je ne suis pas que la copine de Rosanna, si c'est à elle que tu fais allusion…

Bang, dans le mille ! L'éclat ténébreux de ses yeux s'est estompé, et il a marqué un temps d'arrêt. J'en ai profité pour lui coller mes papiers dans les mains :

— Tiens, si jamais ça t'intéresse…

Il a pris la chemise presque à contrecœur, mais l'expression de son visage avait changé :

le mépris et le reproche avaient disparu, remplacés par une curiosité amusée. Il l'a ouverte, a pioché un texte au hasard et a commencé à lire. Puis il m'a jeté un regard stupéfait.

Au même moment, j'ai remarqué la couleur de la chemise. Aussitôt, mon cœur s'est arrêté de battre et le petit démon sur mon épaule a explosé de rire. La chemise où j'avais glissé les textes pour *Cyrano* était rouge. Et celle qu'il tenait dans ses mains était bleue ! Je m'étais trompée de dossier : Diego était en train de lire l'intégrale de notre correspondance.

L'air abasourdi, il a murmuré :

– Alors, c'est toi qui...

Sans réfléchir, je lui ai arraché les papiers des mains, j'ai vite ramassé une feuille qui était tombée et je me suis enfuie de la pièce en courant. J'ai entendu une des filles dire dans mon dos : « Elle est folle ? », et j'ai couru encore plus vite. Je ne me suis arrêtée qu'une fois arrivée à l'abribus. Une vieille dame effarée m'a regardée m'effondrer sur le banc.

– Eh ben ! a-t-elle lancé d'une petite voix pincée. J'espère que ce n'est pas l'école qui vous met dans cet état !

Rosanna m'attendait dans ma chambre, assise devant l'ordinateur. Elle s'est tournée vers moi avec un grand sourire ; mais en voyant mon visage elle a froncé les lèvres sur un « ho ! » navré. Comme il faut bien rire un peu quand le bateau coule, j'ai lancé :

– Ton Belge, c'est un charlatan !

– De toute façon, a-t-elle fait remarquer, tu les trouves tous nuls…

– Non, pas tous, hélas…

Je me suis assise par terre, j'ai attrapé la poubelle et j'ai commencé à déchirer le contenu de la chemise bleue, en veillant à faire des morceaux aussi petits que possible. Rosanna m'a regardée faire sans rien dire, puis elle a lâché :

– C'est la cata ?

– On peut le dire comme ça.

On n'entendait que le crissement du papier que je déchirais soigneusement.

Rosanna a enchaîné :

– Ton ordinateur a fait « bling » juste avant que tu n'arrives. Tu as un mail.

J'ai laissé échapper un vague grognement de désintérêt qui a résonné dans la corbeille en métal.

– Ça vient de <u>diego@rostand</u>…

Mes doigts se sont appliqués à déchiqueter un bout de papier déjà fort mal en point. J'ai demandé, l'air de rien :

– Et ça raconte quoi ?

– Je ne sais pas.

– Quoi ? Tu ne l'as pas lu ?

– Non, ça ne me regarde pas.

Rosanna avait une voix tellement étrange que j'ai aussitôt cessé mon étripage sauvage. Elle a poursuivi en me regardant droit dans les yeux :

– J'ai beaucoup réfléchi pendant ces quelques jours où on était fâchées. Et une révélation s'est imposée à mon cerveau étriqué : c'est pas parce qu'on est amies qu'on doit tout savoir, tout se dire, tout se montrer…

Je n'en revenais pas. Je ne l'avais jamais vue si sérieuse, si réfléchie, si profonde… Ce qu'elle venait de dire, je le savais confusément, mais je n'aurais pas su l'exprimer aussi bien. Elle a poursuivi :

– Je préfère te laisser tes secrets… et garder ma meilleure amie. Alors, non, je ne l'ai pas lu, ce mail, puisqu'il t'est adressé.

Elle s'est levée, toute droite, dans un silence presque solennel et s'est dirigée vers la fenêtre. Elle a regardé un moment dans le jardin, perdue dans la contemplation des squelettes vert-de-gris des arbres fruitiers, puis elle s'est tournée vers moi avec une grimace de souffrance :

— Non, c'est trop dur, je ne peux pas ! J'ai trop envie de savoir. S'il te plaît, tu voudras bien me raconter, quand tu auras lu…

Elle m'a lancé un petit regard malheureux qui m'a arraché un sourire. J'ai ouvert le mail de Diego, en inspirant bien fort comme si j'allais me jeter dans l'eau froide. Il était très court :

« J'aimerais que tu me dises pourquoi tu t'es cachée sous le visage d'une autre. Si c'était pour prendre mon cœur, tu n'en avais pas besoin. Tu es très jolie quand tu rougis. Alors, tu m'expliques ? »

Les yeux me piquaient, et j'ai ôté mes lunettes pour me frotter les paupières. Une onde de chaleur m'a envahie, une bulle de coton s'est refermée autour de moi. À l'intérieur, chacune de mes cellules vibrait de joie. Quand j'ai ouvert les paupières, j'ai croisé le regard vert interrogateur de Rosanna.

— Tu me racontes ?

— Non, ai-je dit avec un sourire.

Elle s'est jetée sur moi en poussant un cri, mains en avant pour me chatouiller les hanches. J'ai roulé sur le côté, elle a bondi, et on a fini sur le tapis, les quatre fers en l'air à hurler de rire.

FIN

Et pour rêver encore,
lis cet extrait
de

DES ROSES
ET DES RONCES
de Nadine Walter

La maison d'Anna

D'habitude, dès que je me réveille, je saute sur mes pieds, impatiente de prendre mon déjeuner. Quelle meilleure façon de commencer la journée que de se plonger dans des douceurs lactées, en se régalant d'épaisses tranches de pain et de confiture ? Surtout quand on est en vacances et qu'on a la vie devant soi : on a envie de la mordre à belles dents !

Mais, ce matin, rien n'est comme d'habitude. Il fait frais dans la chambre, des rideaux jaune pâle tout légers flottent devant la fenêtre grande ouverte comme les voiles d'un navire. Je ne reconnais pas les bruits qui m'entourent, ni la clarté trop blanche qui fait cligner mes yeux. Et encore moins la crainte sourde et diffuse qui monte en moi.

Ce n'est pas un sentiment qui m'est étranger, pourtant. Cela me rappelle le premier jour de colonie de vacances, quand l'appréhension me submerge, quand la panique de m'être laissé entraîner dans des vacances forcées l'emporte sur la perspective des réjouissances annoncées. C'est à la fois attirant et effrayant.

Seulement, voilà : je ne suis pas en colo, c'est le premier jour du mois d'août, et j'ai envie de rester terrée au fond de mon lit. Mauvais signe !

Je m'agite. Un oreiller fourré dans une taie trop petite menace d'exploser aux coutures. Des draps blancs sous une couverture fine et rêche ne me réchauffent guère. Et d'ailleurs, pourquoi la fenêtre est-elle grande ouverte sur la rue ?

Quelques minutes de plus pour émerger, et je me souviens de tout.

Hier soir, papa et moi sommes arrivés chez sa nouvelle amie, Anna Devigny, pour les vacances. Cette maison est à Anna, la chambre aussi. « J'y ai grandi, m'a-t-elle confié en montant les escaliers avec mon sac de voyage. Tu verras, elle est parfaite. » Parfaite pour quoi ? Je n'ai aucune intention d'y poursuivre mon développement hormonal, moi !

Anna est antiquaire à Strasbourg, en Alsace. Elle va souvent à Paris, fouiner dans les marchés aux puces et chez les brocanteurs à la recherche de vieilleries (c'est là qu'elle a rencontré mon père, Marc, la moitié d'un siècle bientôt !). Ils ont ri, sympathisé, et depuis ils ne se quittent plus. Cela va faire dix mois.

Je ne connais pas très bien Anna, et je l'apprécie encore moins. Son grand défaut, à mes yeux, est d'être l'amie de mon père. Une amie sérieuse, je veux dire. Moi, tant de sérieux, ça me pèse. Et surtout cela ne signifie rien : avec maman aussi c'était sérieux, puisqu'ils se sont dit « oui » devant le maire et qu'ils ont récidivé devant le curé, ce qui ne les empêche pas aujourd'hui de se dire : « Non, non et non ! »

Le divorce de mes parents me cause pas mal de soucis, à la veille de mes quatorze ans. Parce que, si l'histoire est terminée entre eux, pour moi les problèmes ne font que commencer. Seulement ça, ils ne s'en rendent pas compte, trop occupés à se féliciter mutuellement : « Tout est enfin en ordre entre nous ! »

Et le désordre qu'ils laissent dans *ma* vie, ils y pensent ?

C'est vrai, ce n'est pas évident de voir une inconnue chambouler votre existence, sous prétexte qu'elle débarque dans celle de votre père ! Et, quand en plus il faut accompagner les tourtereaux en vacances, ça devient carrément insupportable.

C'est la raison pour laquelle je nourris ce matin des idées noires à mon réveil à Merisole, un patelin paumé au milieu du vignoble alsacien, où je suis censée rester deux longues semaines.

Afin de faire passer la pilule, je me dis que je suis ici en tant que Mata Hari et que je travaille pour un homme au nom de code *P.A.P.A.*

Ma mission ? Mettre les tourtereaux à l'épreuve et, avec de la chance, ramener la brebis égarée à Paris (dans le rôle de la brebis égarée, mon père).

Je n'aime pas Anna ; sa maison, je ne sais pas encore. De ce que j'en ai vu hier à notre arrivée, elle a l'air d'une vieille demeure de famille, couleur du temps qui s'écoule, chaude et douce à l'intérieur. L'escalier qui mène à l'étage grince et craque comme s'il avait plein de choses à raconter. Des meubles usés par la patine du temps trônent un peu partout. Des tapis sont disposés ici et là, et des vases remplis de fleurs fraîches ornent les commodes. Ça sent bon la cire d'abeille, la citronnelle et une odeur indéfinissable, sucrée comme les nuits d'été et les tartes aux pommes.

Par la fenêtre de ma chambre, c'est la campagne à perte de vue. Une rue blanche, des arbres, des vignes plantées avec régularité sur des coteaux et, plus loin, des remparts. Il paraît que ces fortifications médiévales, autrefois contreforts du village, sont aujourd'hui le rendez-vous des jeunes.

Armée de ma trousse de toilette, je mets le cap sur la salle de bains, au bout du couloir. J'en ressors douchée, savonnée, récurée, prête à affronter le vaste monde.

Découvre vite la suite de cette histoire
dans
DES ROSES ET DES RONCES
N° 368 de la série

Cœur Grenadine

Cœur Grenadine

Impression réalisée sur CAMERON par

BRODARD & TAUPIN

GROUPE CPI

*La Flèche
en février 2005*

Imprimé en France
N° d'impression : 27891